W9-BBM-882

더 내려놓음

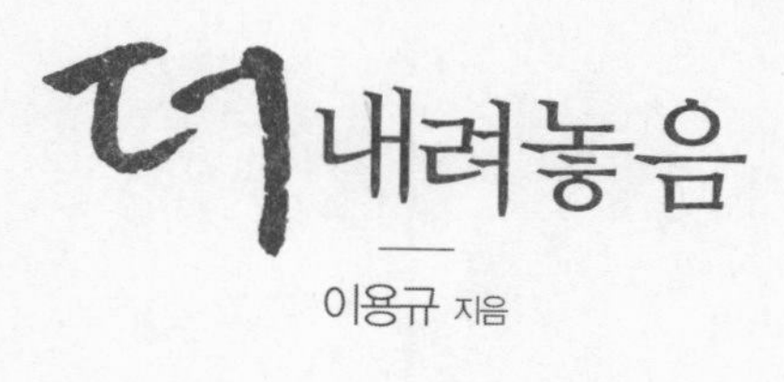

규장

| 프롤로그 |

더 깊은 주님의 세계로!

2006년에 출간한 《내려놓음》이 독자들로부터 많은 사랑을 받은 것은 참으로 감사한 일이다. 올해 여름, 나와 몽골국제대학교(Mongolia International University, 이하 MIU)를 찾는 단기선교팀들이 부쩍 많아졌고 각종 집회 요청이 밀려들었다. 몽골에서 조그마한 교회의 평범한 선교사로 지내던 내가 어느 날 갑자기 많은 사람들이 찾는 존재가 된 것이다.

인지도가 높아지고 주변의 기대와 요구가 늘어나면서 나와 내 식구들의 삶이 불편해지기도 했고 사역의 영역이 확대되면서 아내와 나는 새로운 역할에 적응하는 과정의 시행착오를 되풀이하기도 했다.

《내려놓음》이 이렇게 많이 판매될 줄 알았다면 그렇게 쉽게 책을 쓸 생각을 했을지 스스로 물어본 적이 있다. 아마 선뜻 책을 쓰겠다는 용기를 내지 못했을 것이다. 실은 무명의 선교사가 쓴데다가 부담스러운 제목의 책인지라 어차피 그리 많이 팔리지 않으리라 확신했다. 그래서 부담 없이 짧은 시간 내에 책의 집필을 마칠 수 있었던 것이다.

하지만 그런 불편을 감수하고도 남을 만큼 매우 긍정적인 결과가 압도적이어서 나는 새삼 놀랍고 감사했다. 수많은 독자가 내 홈페이지나 인터넷 서점 사이트에 서평을 남겨, 책을 읽고 난 뒤 회개와 함께 삶에 변화가 일어났고 하나님을 새롭게 경험하는 시간을 가졌다는 글을 올렸다. 하나님께서 《내려놓음》을 통해 놀라운 일들을 허락하셔서 수많은 주님의 역사하심과 기적이 일어나는 것을 목도할 수 있었다. 또 고통 가운데 있던 분들이 위로를 받고 주님께 돌아왔다고 들었다. 이 책을 통해 변화를 받은 사람 가운데는 교회에서 마음에 깊은 상처를 입고 교회를 떠났던 사랑하는 후배도 있었다. 책을 집필한 사람으로서 보람된 순간이었다.

특별히 《내려놓음》 때문에 선교의 뜻을 굳히고 주님의 부르심에 순종할 수 있었다는 고백을 들으며 참으로 감사했다. 또 주님을 몰랐던 사람들이 책을 통해서 하나님을 알게 되었다는 고백도 들었다. 하나님나라에서 만났을 때에도 그런 고백을 듣게 된다면 얼마나 행복할까 상상해보니 정말 기쁘고 감사했다.

또한 책을 통해서 내가 섬기는 몽골국제대학교가 알려지기 시작했다. 그 결과 인력난과 재정난으로 어려웠던 시기를 잘 넘기게 되었다. 책이 알려지면서 부흥집회나 예배의 말씀을 전하기 위해 초청을 받는 일도 잦아졌다. 집회를 인도하는 과정에 역사하시는 성령님께서 청중들을 만지시는 것을 보며, 하나님께서 나를 말씀 사역을 위해서도 부르셨다는 놀라운 사실 또한 확인했다.

이 과정에서 나는 하나님의 섭리에 대한 경외감을 깊이 체험했다.

하나님께서 쓰시고자 하면 어떤 사람도 사용하실 수 있다는 사실을 체험적으로 다시 새롭게 확인한 것이다. 나는 한 번도 내가 부흥집회를 인도할 만한 사람이라고 생각해본 적이 없었다. 그러나 하나님께서 이끄시면 손바닥 뒤집듯이 그 사람의 인생 향방을 바꾸실 수 있다는 생각에 경외함으로 더 겸비하며 주님을 구할 수밖에 없었다. 한순간에 사람을 높이시는 하나님은 분명 한순간에 그 사람을 낮추실 수도 있다고 느꼈기 때문이다.

궁극적인 내려놓음

그러나 책에 대한 다양한 반응을 접하면서 《내려놓음》에서 다루고자 했던 주제에 대해 사람들이 오해하는 경우가 있다는 사실도 깨달았다. 아마 책을 급하게 쓰다보니 책에서 정말 하고 싶었던 이야기가 충분히 전달되지 못하여 어떤 부분에서 오해를 산 모양이다.

내가 하버드라는 명문대학에서 박사 학위를 받고 난 뒤 몽골 땅에 선교사로 간 것을 보고 사람들은 이것이 《내려놓음》에서 다루는 핵심 가치라고 보았다. 즉, 많은 사람들이 "이용규 선교사는 하버드대학을 졸업하고 많은 기회가 있었을 텐데도 몽골 선교사로 갔어. 이 사람은 많이 내려놨구나! 나는 그렇게 못 해왔는데"라고 이해한 것이다. 무언가 높은 자리에 있다가 낮아지는 자리로 내려왔다는 데 독자들이 감동하는 것 같았다. 책의 예화 중에도 버리고 낮아지는 데 많은 관심을 보였다. 더욱이 이런 감동을 주기 위해서는 일단 내려올 수 있는 높은 위치와 버릴 수 있는 무언가가 있는 자리에 오르는 것이 중요하다고 보는 경향도 있었다. 책에 대한 서평도 그쪽에 초점이 맞춰진 것을 볼 수 있었다.

실은 출판사에서 하버드대학 박사 출신의 선교사 이야기라는 측면을 부각시킨 광고 문구부터 이런 경향을 부추긴 감이 없지 않다. 물론 더 많은 독자들이 책을 접할 수 있도록 하기 위한 광고의 역할은 중요했다고 본다. 당시 책의 제목을 고심하던 규장의 편집 회의에서 결국 '내려놓음' 이라는 제목을 선정했다. 책의 내용을 요약해주면서도 간결하고 강렬한 제목이라는 생각이었다. 하지만 한 가지 고심되는 부분이 있었는데 제목이 이 시대의 흐름에 맞지 않게 부담스러워서 독자들이 기피할 수 있다는 우려였다. 규장에서 내게 전화하여 이렇게 말했다.

"이용규 선교사님, 제목을 '내려놓음' 으로 결정했어요. 우리는 책 제목 걱정도 내려놓기로 했습니다."

제목을 선정하는 데도 선입견을 내려놓는 과정이 필요했다. 출판사 측에서 용기 있는 결정을 내려주었다. 그러나 잠재적 독자층에게 끼칠 큰 부담감을 줄이기 위해 출판사 측에서는 하버드대학 박사 출신의 선교사가 썼다는 문구를 집어넣었다. 어찌 보면 자연스러운 귀결일는지도 모른다. 그러나 문제는 책을 읽고 난 후에도 많은 독자들에게 그 잔상이 남았다는 점이다.

하버드 출신자의 몽골행 이야기는 내가 말하고자 했던 알맹이라기보다 껍질에 불과하다. 즉, 그것은 내용을 담기 위한 그릇이지 그 속에 담긴 보화가 아니라는 것이다. 사실은 선교사로 부름을 받아 가더라도 선교사 안에 쥐고 있는 것들이 있을 수 있다. 선교사가 되기 위해 이미 다른 많은 것을 내려놓았기 때문에 더 집착하는 무언가가 있다는 것이다. 그래서 안타깝게도 많은 경우 오히려 사역 자체와 사역의 열매에 집착하는 모습을 드러내곤 한다. 사역이 나의 자존감을 확고하게 해주고 내 자아를 살려주는 것처럼 그것을 꼭 붙들 때가 있다. 결국 뭔가 내려놓는 대신 다른 것을 잡은 것이다.

그러나 《내려놓음》을 통해 궁극적으로 이야기하고 싶었던 것은 이것이었다. 하나의 성경 구절로 요약하자면 바로 갈라디아서 2장 20절 말씀의 정신이다. 그리스도 안에서 내 자아(自我)가 죽는 것, 이것이 바로 내려놓음이다.

> 내가 그리스도와 함께 십자가에 못 박혔나니 그런즉 이제는 내가 산 것이 아니요 오직 내 안에 그리스도께서 사신 것이라

나는 "내려놓을 때 하나님으로 채워진다"라고 강조하며 설명함으로써 바로 내 자아가 십자가에서 못 박혀 죽을 때, 주께서 내 안에서 다시 사신다는 말씀을 더 쉽게 다가오는 표현으로 풀이하려 했다. 갈라디아서 2장 20절 말씀을 내 삶 가운데 하나님께서 허락하신 삶의 예화들로 주해하는 것이 책을 통해 나타내고자 했던 바이다. 내려놓음은 다른 이야기가 아닌 복음 자체를 말한 것이다. 결과적으로 기독교의 가장 고전적인 주제를 다룬 것뿐이다.

내가 만난 독자들은 내게 이렇게 묻곤 했다.

"선교사님, 어떻게 하면 책에 쓰신 대로 그렇게 살 수 있나요?"

독자들의 질문을 받으며 나는 《내려놓음》에서 다룬 내용들이 성화(聖化) 단계의 삶을 묘사하는 것처럼 오해를 사고 있다는 느낌을 받았다. 그러나 내려놓음이란 어떤 성공한 위인들의 이야기가 아니라 예수 그리스도를 주(主)로 고백하는 사람이라면 누구나 고백해야 할 삶의 이야기이다.

왜냐하면 내가 나누고 싶었던 이야기는 바로 복음, 즉 신앙의 기본적인 ABC를 이야기한 것이지, 성화의 마지막 단계로 내려놓게 된다는 것이 결코 아니기 때문이다. ABC란 기초이기도 하지만 가장 중요한 것이라는 의미도 있다. 나는 신앙인이라면 누구나 깊이 묵상하며 실천해야 할 삶의 본질적인 부분, 우리가 마지막 숨을 거두는 그 순간까지 중요하게 다뤄야 할 주제에 대해 나누고 싶었다.

더 내려놓기 위한 사전 작업

올 봄부터 두 번째 책에 대한 기대를 표명하는 분들이 많아졌다. 그러나 책이 갖는 영향력을 절실히 실감한 터라 나는 다시 책을 쓰는 일에 쉽사리 마음이 움직이지 않았고 계속해서 마음이 불편했다. 마음 한구석에 다음 책은 누군가 다른 사람이 뒤이어 쓰기를 바라기도 했다.

그러나 독자들의 질문을 받을 때마다 《내려놓음》과 같이 볼 수 있는 두 번째 책의 필요를 진지하게 고려하게 되면서 내 안에 그 책에 대한 또 다른 부담이 자리 잡았다. 사실 《내려놓음》을 탈고하면서 제목을 뭐라고 정할지 막막했다. 그때 규장 편집팀에서 '내려놓음' 이라는 제목을 제안해주었고 그 제안이 적절하다는 생각이 들어 최종적으로 동의했다. 그러다보니 실은 '내려놓음' 이라는 영역에 대해 본격적이고도 체계적으로 숙고하기 시작한 것은 책을 출간하고 나서부터라 할 수 있다.

첫 번째 책을 읽고 나서 던지는 독자들의 질문을 접하고 보니 삶의 다양한 영역에서 '내려놓음' 에 대해 더 깊이 다룰 필요가 있다고 여겨졌다. 물론 다른 여러 책도 이 부분에 대한 해답을 줄 수 있지만 이 주제에 대해 내가 맡으면 좋을 영역이 있다는 것이 보이기 시작한 것이다.

하지만 시간이 허락되지 않았다. 학교 사역은 점점 더 확장되었고 또 외부로부터 끊임없는 집회 요청이 들어왔다. 내 체력이 그다지 좋지 않은 상황에서 집필이라는 부담까지 떠안기가 버거웠다. '주님이 기뻐하시는 작업이라면 주님께서 시간을 만들어주시겠지' 라는 생각으로 마냥 기다리고 있었다. 하지만 하나님께서는 시간을 만들어주시기보다 여러 경로로 새로운 책을 집필해야만 한다는 다급한 마음만 더해주셨다.

책에 들어갈 내용과 주제와 제목에 대해서도 구체적인 인도하심을 받았다. 올 여름방학 기간 미주(美州) 집회 중 덴버에 며칠 머무는 동안 하루 종일 책에서 다루기 원하시는 주제에 대한 영감을 주시기도 했다. 아울러 내가 특별히 요청하지도 않았는데 몽골국제대학교에서 9월 신학기를 시작하며 별도로 내 연구실을 만들어주었다. 홀로 고요히 묵상하고 집필할 수 있는 물리적 환경이 만들어진 것이다. 하나님의 인도하심이라는 생각과 함께 결국 또다시 하나님께서 올 해 안에 책을 쓰기 원하신다는 강한 마음이 밀려와 급하게 글 쓰는 작업에 몰두하게 되었다.

자아를 내려놓음

이 책이 지향하는 몇 가지 목적을 간추리자면 다음과 같다.

첫째, '내려놓음'이라는 개념에 대한 독자들의 질문과 오해의 핵심을 확인하고 정리하는 작업이다.

둘째, 신자들이 개개인의 삶의 영역에서 자신이 추구하던 것을 내려놓고 주님의 음성에 반응하려고 할 때, 어떻게 구체적으로 순종의 삶을 살며 더 깊은 단계의 헌신으로 나아갈 것인가의 문제를 다루는 것이다.

이와 관련하여 자아를 내려놓는다는 것이 어떤 것이며 왜 필수적인지 설명하려고 한다. 이 자아 문제를 해결하기 위해 접근해야 할 세부 영역 과제로 자기애(自己愛)와 자기의(自己義)라는 두 가지 개념에 초점을 맞출 것이다.

하나님께서는 이 부분을 다루시기 위해 우리 부부의 내면을 1년 반이라는 시간 동안 수술대에 올리시고 연단하셨다. 우리의 영적 성숙을 도모하기 위한 열쇠는 이 두 가지를 어떻게 복음으로 극복할 것인가에 달려 있음을, 나와 내 가정의 삶 가운데 간섭하신 하나님의 손길과 역사를 통해 나누기를 원한다.

이용규

누가복음 15장 11-32절

11 또 가라사대 어떤 사람이 두 아들이 있는데

12 그 둘째가 아비에게 말하되 아버지여 재산 중에서 내게 돌아올 분깃을 내게 주소서 하는지라 아비가 그 살림을 각각 나눠주었더니

13 그 후 며칠이 못 되어 둘째 아들이 재산을 다 모아가지고 먼 나라에 가 거기서 허랑방탕하여 그 재산을 허비하더니

14 다 없이한 후 그 나라에 크게 흉년이 들어 저가 비로소 궁핍한지라

15 가서 그 나라 백성 중 하나에게 붙여 사니 그가 저를 들로 보내어 돼지를 치게 하였는데

16 저가 돼지 먹는 쥐엄 열매로 배를 채우고자 하되 주는 자가 없는지라

17 이에 스스로 돌이켜 가로되 내 아버지에게는 양식이 풍족한 품꾼이 얼마나 많은고 나는 여기서 주려 죽는구나

18 내가 일어나 아버지께 가서 이르기를 아버지여 내가 하늘과 아버지께 죄를 얻었사오니

19 지금부터는 아버지의 아들이라 일컬음을 감당치 못하겠나이다 나를 품꾼의 하나로 보소서 하리라 하고

20 이에 일어나서 아버지께로 돌아가니라 아직도 상거가 먼데 아버지가 저를 보고 측은히 여겨 달려가 목을 안고 입을 맞추니

21 아들이 가로되 아버지여 내가 하늘과 아버지께 죄를 얻었사오니 지금부터는 아버지의 아들이라 일컬음을 감당치 못하겠나이다 하나

22 아버지는 종들에게 이르되 제일 좋은 옷을 내어다가 입히고 손에 가락지를 끼우고 발에 신을 신기라

23 그리고 살진 송아지를 끌어다가 잡으라 우리가 먹고 즐기자

24 이 내 아들은 죽었다가 다시 살아났으며 내가 잃었다가 다시 얻었노라 하니 저희가 즐거워하더라

25 맏아들은 밭에 있다가 돌아와 집에 가까웠을 때에 풍류와 춤추는 소리를 듣고

26 한 종을 불러 이 무슨 일인가 물은대

27 대답하되 당신의 동생이 돌아왔으매 당신의 아버지가 그의 건강한 몸을 다시 맞아들이게 됨을 인하여 살진 송아지를 잡았나이다 하니

28 저가 노하여 들어가기를 즐겨 아니하거늘 아버지가 나와서 권한대

29 아버지께 대답하여 가로되 내가 여러 해 아버지를 섬겨 명을 어김이 없거늘 내게는 염소새끼라도 주어 나와 내 벗으로 즐기게 하신 일이 없더니

30 아버지의 살림을 창기와 함께 먹어버린 이 아들이 돌아오매 이를 위하여 살진 송아지를 잡으셨나이다

31 아버지가 이르되 얘 너는 항상 나와 함께 있으니 내 것이 다 네 것이로되

32 이 네 동생은 죽었다가 살았으며 내가 잃었다가 얻었기로 우리가 즐거워하고 기뻐하는 것이 마땅하다 하니라

| 들어가면서 |

아버지를 누리는 삶으로의 초대

누가복음 15장에 나오는 아들들의 이야기는 우리 신앙인들의 삶에 시사하는 바가 크다. 흔히 이 비유를 가리켜 '탕자의 비유'라고 한다. 한편 이 이야기는 하나님을 모르는 불신자가 복음을 받아들이고 죄를 회개한 후 하나님께 돌아오는 과정의 비유라고 알려져 있다. 그러나 우리가 이런 선입견을 버리고 이 비유를 자세히 읽으면 이미 하나님을 믿는 우리의 삶에 적용되는 진리를 발견할 수 있다.

이 비유에는 두 명의 아들이 나오는데 이 두 아들 모두 아버지를 잃어버렸다. 비유에 등장하는 두 아들은 모두 탕자였다. 나는 이 비유에 대한 영감을 《아버지의 집으로》(원제 The Homecoming, 잭 윈터 저, 예수전도단 간)에서 얻었다.

우리의 신앙생활에는 두 아들의 모습이 공존한다. 나는 이 책에서 둘째 아들의 자기애(自己愛)와 첫째 아들의 자기의(自己義)의 문제에 대해 다루고자 한다. 두 아들이 가지고 있던 자기애와 자기의가 어떤 것인지,

과연 자기애와 자기의가 어떻게 아버지를 잃어버리도록 만드는지 그리고 어떻게 자기애와 자기의의 문제를 해결해야 하는지 다룰 것이다.

자기애와 자기의를 버린다는 것을 우리에게 좀 더 익숙한 표현으로 정리해보면 나의 '자아 내려놓기' 내지 '자아를 십자가에 못 박기' 라고 할 수 있다.

먼저 1부에서는 자기애와 관련한 우리의 문제를 작은아들에게 나타나는 현상을 통해 확인하고 정리하려 한다. 2부에서는 자기의가 갖는 문제점을 큰아들의 모습과 상태에 견주어 다루어볼 것이다. 이로써 우리는 이 이야기 속에 나오는 두 아들의 문제가 우리 삶 가운데 번갈아 가며 나타나는 것을 확인하게 될 것이다. 독자들은 하나님께서 우리의 삶 가운데 다루기 원하시는 가장 중요한 사안들이 실은 이 두 모습 속에 있음을 발견할 것이다.

우리가 하나님을 얼마나 더 사랑하고 더 깊이 만날 수 있는가는 자신의 자아 문제를 성찰하는 깊이와 맞물려 있다. 자아의 문제를 해결하지 않고서는 우리는 여전히 아버지 근처에 있지만 아버지를 누리지 못하는 상태의 삶을 지속하게 되기 때문이다.

차례

3부 더 더 내려놓기

1부
자기애自己愛 내려놓기

우리의 삶 가운데 이것만은 건드리지 말아달라고 막는 영역은 무엇인가? 예수님의 발치에까지 가지고 나갔지만 깨뜨리지 못한 채 여전히 틀어쥐고 있지는 않은가? 우리 안에 혹시 하나님조차 들어갈 수 없는 영역이 있는가? 이 영역 안으로 주님을 초청하라. 주님이 내 의식 깊숙한 곳까지 들어오셔서 나의 주관자가 되어주셔야 한다.

내가 그리스도와 함께 십자가에 못 박혔나니 그런즉 이제는 내가 산 것이 아니요 오직 내 안에 그리스도께서 사신 것이라 이제 내가 육체 가운데 사는 것은 나를 사랑하사 나를 위하여 자기 몸을 버리신 하나님의 아들을 믿는 믿음 안에서 사는 것이라 _갈라디아서 2장 20절

1장 하나님만을 온전히 순종하고 있는가

내몽골 출장길

처음 몽골로 부르심을 받았을 때, 나는 나의 사역지가 몽골 내로 한정된다고 생각했다. 다시 말해서 하나님께서 부르신 기간 동안, 나는 몽골에서 조용히 하나님께서 내게 맡겨주신 일을 하면 된다고 생각했다. 그런데 내가 잠정적으로 정해놓은 사역의 영역을 넘어서서 하나님께서 나를 사용하기 시작하신 계기가 있다.

2005년 4월 말, 교수로 재직 중인 몽골국제대학교의 신입생을 모집하기 위해 나는 내몽골로 출장을 가게 되었다. 몽골국제대학교의 비전 가운데 하나는 복음의 문이 비교적 열려 있는 몽골의 선교 상황을 활용하여 몽골을 둘러싸고 있는, 복음의 문이 닫힌 지역의 학생들을 받아들여서 그들을 기독교 지도자로 양성하여 본국으로 다시 돌려보내는 것이다.

몽골국제대학교가 영어로 교육하는 이유도 다양한 언어와 문화적 배경을 가진 외국 학생들을 받아들여 교육하기 위해서이다. 몽골국제대학교에는 약 40퍼센트의 외국 유학생들이 있다. 2005년 당시에는 주로 러시아권 시베리아 지역에 있는 부리야트와 사하 야쿠트에서 온 학생들이 외국계의 주류였다. 학교에서는 특별히 내몽골에 있는 몽골인 학생들도 학생으로 받고자 했다. 그래서 생명공학과 교수인 고재형 교수님과 나는 몽골 학생들에게 학교를 소개하고 또 학생들도 모집하기 위해 내몽골로 출장을 떠났다.

내몽골로 들어가기에 앞서 또 다른 임무가 있었는데, 중국 가정교회 지도자들을 만나 그중에 몽골국제대학교 학생으로 받을 수 있는 사람이 있는지 확인하기 위해 중국 내지(內地)로 들어가는 일이었다. 그 임무를 마치고 내몽골 지역으로 들어가기 위해 기차표를 알아보았다. 그때가 노동절 기간이었다. 중국의 노동절 기간은 약 일주일을 쉬는 대규모 경축일이었고 그렇다보니 전국적으로 인구 이동이 크게 일어나는 시기라서 기차표를 구하는 일이 불가능했다. 결국 야간버스를 수배해 북경까지 올라가고 거기서 다시 표를 구하기로 결정했다.

주일 새벽에 북경에 도착하여 북경 한인연합교회에서 예배를 드리다가, 때마침 그 주간에 북경에서 한국유학생수련회(KOSTA)가 열린다는 사실을 알게 되었다. 북경 코스타의 집행을 맡으신 분이 내게 이 집회에서 선택식 강의 하나를 맡기려 했으나 연락처를 몰라 그러지 못했노라고 뒤늦게 말씀하셨다. 하지만 나에게는 다른 임무가 있었다. 그래서 "저는 지금 내몽골로 들어가야 합니다"라고 말씀드렸다.

유학생수련회에 가라

그 날 오후 나는 내몽골로 출발했다. 하루 종일 기차를 세 번 나눠 갈아타고 다음날인 월요일 밤에 울란호트라는 도시로 들어갔다. 하룻밤을 여관에서 묵기로 했다. 그런데 몇 시간 눈을 붙이지도 못했는데, 하나님께서 나를 깨우시더니 감동 가운데 기도하도록 몰아가셨다. 특별히 북경 코스타를 위해 기도하라는 마음을 주셔서 기도하기 시작했다. 나는 아침잠이 많은 사람으로, 하나님께서 이렇게 이른 새벽부터 나를 깨워 기도시키시는 것은 매우 특별한 경우였다. 기도하는 도중 유학생수련회에 가라는 마음의 도전이 왔다.

"네 입술에 말을 부어줄 테니 유학생수련회에 가라!"

그 말씀이 뜻밖이었기에 과연 내가 주님의 마음을 제대로 전해 받은 것인지 확인할 필요가 있었다. 나는 북경 코스타에 갈 수 없다고 생각하는 첫 번째 이유를 하나님께 말씀드렸다.

"하나님, 저는 학생들을 모집하는 일로 내몽골에 왔기 때문에 이 일을 마무리해야 하는데, 며칠은 걸릴 것 같아요. 저는 몽골 땅으로 부르심을 받았지, 북경에 있는 유학생들에게 가도록 부르심을 받은 게 아닌데요."

그러자 하나님께서 계속해서 내가 순종할 수 있는지 물으시는 것을 느꼈다. 생각해보니 나는 주님의 종으로 부르심을 받은 사람이다. 하나님이 가라 하시는 곳에 가야 할 의무가 있었다. 그런데도 나는 현재 나를 향한 주님의 부르심이 북경 유학생들에게 있는 것인지 자신이 없었다. 그래서 두 번째로 안 되는 이유를 말씀드렸다.

"하나님, 지금은 노동절 기간이라 표를 구할 수가 없습니다. 여기서 북경까지 가려면 기차를 세 번이나 갈아타야 하는데 그중에 한 번이라도 표를 구하지 못하면 못 갑니다."

내가 기도하고 있던 시점은 화요일 새벽이었다. 아무리 일을 빨리 마무리한다고 해도 수요일 아침이 되어야 기차를 탈 수 있었다. 세 번 기차를 갈아타고 가는데 꼬박 하루가 걸린다. 기차 연결 시간이 맞아 떨어질는지도 알 수 없었다. 더욱이 지금은 노동절 기간이 아닌가? 표를 구하는 일이 정말 어렵다는 것을 내 눈으로 확인했는데, 단 한 구간이라도 표가 없으면 시간 내에 북경 코스타가 열리는 장소까지 갈 수 없을 것이다. 코스타는 금요일 오전 중으로 모든 행사를 마치기로 되어 있다.

그런데도 하나님은 계속해서 "나는 네가 그곳에 가기를 원한다"라는 마음을 주셨다. 하긴 하나님께서 나를 그곳으로 보내시기로 결정하셨다면 표 문제 정도야 해결해주실 것이다. 나는 그 점을 믿었다.

진짜 이유는 나 때문이다

이제 나는 안 된다고 생각하는 세 번째 진짜 이유까지 말씀드렸다.

"하나님, 정말 안 되는 이유인데요, 저 같은 무명의 선교사가 스케

줄 다 잡혀 있고 강사 섭외도 모두 끝나 수련회가 한창 진행 중인데, 갑자기 중간에 나타나서 '하나님이 저에게 말씀을 전하랍니다' 그러면 저 바보 되는 거 아시잖아요?"

코스타는 국내외적으로 알려진 기독교 인사나 학생들에게 귀감이 될 만한 사역자 분들을 모시고 진행하는 수련회로 잘 알려져 있다. 자기가 강사로 가고 싶다고 해서 마음대로 갈 수 있는 자리도 아니다. 더욱이 이미 스케줄이 다 나와서 정한 시간대로 강의가 진행 중인 상황에 느닷없이 불청객이 들어와 강의하겠다고 하면 행사 진행팀의 분위기는 또 얼마나 썰렁해질 것인가? 적어도 내 상식으로는 도저히 감당할 수 없는 상황이 될 것이다.

그런데도 하나님께서는 계속해서 동일한 마음의 부담을 안겨주셨다.

"나는 네가 그 자리에 있기를 원한다."

길이 열리다

결국 나는 하나님께 이렇게 기도했다.

"하나님, 유학생수련회 현장까지는 제가 순종하여 가겠습니다. 하지만 제 입으로 말씀 전하러 왔다고는 못합니다. 그 다음부터 알아서 해주십시오!"

이렇게 기도를 마친 다음 조건을 하나 더 달았다.

"하나님께서 이 일을 시키신다는 것을 확인하기 위한 몇 가지 전제 조건이 있습니다. 저와 동행 중인 교수님이 제가 북경으로 가는 것에 동의해주셔야 하고 이곳 일이 오늘 중으로 빨리 마무리되어야 합니다."

그런데 그 후 일들이 자연스럽게 풀려나갔다. 기도한 대로 동행한 교수님이 동의해주었고 학생 선발과 관련한 일이 그날 안에 빠르게 정리되기 시작한 것이다.

'일단 가보자. 기차표가 있다면….'

그렇게 생각하고 장춘까지 가는 기차를 탔는데 거기까지는 아무 문제가 없었다. 문제는 장춘이라는 곳에서 북경으로 가는 기차를 갈아타야 하는데 시간도 빠듯할 뿐 아니라 표가 남아 있을 가능성이 거의 없을 것 같다는 것이다. 장춘 역에 도착해보니 갈아탈 기차의 배차 시간이 1시간가량 남아 있었다.

보통 중국에서 기차표를 사려면 줄을 한참 늘어서야 한다. 그렇다고 표가 있으리라는 보장도 없다. 좌우간 급하게 줄을 섰는데 창구 하나가 더 열리더니 줄이 분산되었다. 분위기를 보니 표가 매진될 것 같았다. 내 차례가 되어 판매원에게 북경 가는 침대칸 표가 있느냐고 물었다. 판매원이 둘러보더니 뜻밖에 표가 있다는 것이다.

"어! 이상하다. 침대칸 표가 아직 남아 있네!"

결국 나는 다음날인 목요일 아침 북경에 도착해서 택시로 유학생수련회가 열리는 현장까지 갈 수 있었다.

순종 뒤에 예비된 길

유학생수련회 현장에 도착한 나는 그냥 가만히 앉아 있었다. 달리 내가 할 일이 없었기 때문이다. 그런데 마침 내 앞을 지나가던 분들 가운데 나를 아는 목사님들이 계셨다. 특별히 북경 코스타 집행을 맡으신 목사님이 "여기 어떻게 왔느냐?"고 물으셨다. 그래서 그간 기도한 내용을 이야기했다. 목사님께서 마음에 감동이 되었는지 강사들이 모인 자리에서 짤막한 자기소개 겸 말씀을 전해달라고 하셨다.

나는 강사님들이 모인 자리에서 약 10분간 이곳까지 오게 된 경위를 밝혔다. 내 이야기를 듣고 나는 다들 '뭐 이런 사람이 다 있어?' 하고 비웃을 줄 알았다. 그런데 뜻밖의 반응이 있었다. 그 자리에는 《팔복 _가난한 자는 복이 있나니》의 작가 김우현 감독과 규장과 갓피플닷컴 관계자들이 동석하고 있었다.

그 후 이 분들과의 만남은 몽골로의 촬영 여행으로, 더 나아가 《내려놓음》의 출간으로 자연스럽게 이어졌다. 하나님께서는 그때 나의 순종을 통해 이 길을 예비해놓고 기다리신 것이다.

"이 선교사님이 말씀을 전할 시간을 만들어주는 것이 좋겠습니다."

강사님들 중에 감동을 받으신 분들이 이렇게 제안하자 시간을 조정하여 목요일 오후 30분간 말씀을 전하도록 시간이 주어졌다. 아마 코스타 역사 이래 초청받지 않고 말씀을 전한 첫 번째 경우가 아닐까 생각되었다. 그 시간을 빌어 나는 청년들에게 이런 말씀을 전했다.

"오늘 하나님께서 특별히 저를 이곳에 부르신 이유가 있습니다. 여러분 가운데 하나님이 마음을 만지기 원하시는 분이 있는 것 같습니다."

말씀을 마치자 많은 청년들이 나를 찾아왔다. 아마 주인공 의식을 가진 친구들 같았다.

"선교사님… 저 때문에 오신 것이 분명합니다."

그들은 내게 여러 가지 질문을 했다. 다양한 질문의 핵심은 바로 이것이었다.

"선교사님, 어떻게 하면 저를 향한 하나님의 뜻을 분별할 수 있을까요? 어떻게 하면 하나님의 음성을 들으면서 올바른 결정을 내리며 살 수 있는 겁니까?"

사실 그 질문에 제대로 답하려면 몇 시간을 강의해도 모자란다. 하지만 그 자리에서는 학생들에게 꼭 필요한 답을 한 가지로 간단히 요약해서 말해주어야 했다. 나는 기도하는 태도와 방법에 대해 답했다.

100퍼센트 순종

"기도할 때 여러분이 어떻게 기도하는지 그 기도의 방법을 살펴봐야 합니다. '하나님, 내가 하나님의 말씀에 100퍼센트 순종하겠습니다. 그저 말씀만 하십시오' 라고 순종하는 기도를 하십니까? 그렇다면 여러분도 하나님의 음성을 굉장히 쉽게 들을 수 있을 것입니다."

유학생수련회에서 만난 학생들뿐 아니라 우리가 하나님의 음성을 잘 듣지 못하는 이유가 있다. 말로는 순종하겠다고 다짐하면서 정작 하나님께 맡기는 기도를 하지 않기 때문이다. 우리는 대체로 이렇게 기도한다.

"하나님, 우리 교회에서 이번에 몇 주년 행사를 어느 장소에서 하기

하나님, 내가 하나님의 말씀에 순종하겠습니다. 그저 말씀만 하십시오.

하나님, 시키시는 대로 하겠습니다. 하나님께서 액수를 적어주십시오.

하나님께서 인도해주십시오. 하나님께서 말씀해주십시오. 저는 그저 순종하겠습니다.

로 결정했습니다."

하나님께 먼저 통보하는 식이다. 그러고 나서 여러 가지 요구 조건을 내건다.

"첫째로 많은 사람들이 참석하게 해주시고, 둘째로 강사 목사님께 은혜를 더하시고, 셋째로 아무런 사고 없도록 안전을 지켜주시고…."

결국 주님의 뜻이 무엇인지 묻지 않는 경우가 대부분이다. 내가 좋은 일을 계획했으니 도와주셔야 한다는 것이다. 하나님의 최선이 무엇인지는 돌아볼 겨를이 없다. 일을 벌여놓고 하나님께 뒷수습해달라는 것이 우리가 하는 기도의 주요 내용이다. 하나님께서는 사고(事故)를 통해서도 일하실 수 있건만 우리는 사고는 일체 사절이라고 말한다.

"하나님, 이번에 우리 아이가 어느 대학에 지원하려고 합니다. 그렇게 되게 해주세요!"

"하나님, 이번에 몽골에 단기선교를 가기로 했습니다. 갈 때부터 올 때까지 아무 사고 없게 해주시고, 오가는 일정에 착오 없게 해주시고, 처음부터 끝까지 주님의 은혜 가운데 붙들리도록 해주세요."

우리의 기도에는 이런 식으로 우리가 정하고 바라는 기도 목록이 가득 차 있다. 그런 기도 목록에는 하나님의 계획이 들어갈 여지가 없다. 결국 '내가 원하는 것은 이것인데 그대로 다 되게 해주십시오' 라는 요구와 하등의 차이가 없을 때가 많다.

그러나 응답 받는 기도를 원하고 하나님과 대화하기를 원한다면, 우리의 기도부터 바꿔야 한다.

"하나님, 시키시는 대로 하겠습니다. 하나님께서 액수를 적어주십시오. 하나님께서 인도해주십시오. 하나님께서 말씀해주십시오. 저는 그저 순종하겠습니다."

이런 기도를 통해 우리는 하나님과 대화하는 기도를 시작할 수 있다. 이 기도의 핵심은 순종하려는 마음이다. 얼마나 기꺼이 순종하는가가 하나님과의 관계를 이루어가는 기초가 된다.

이것만은 안 된다고 움켜쥔 것

하나님께 내 인생을 맡긴다는 것은 하나님을 내 삶의 결정권자로 모시는 일이다. 그런데 우리가 맡기지 못하는 이유가 있다. 바로 하나님을 오해하기 때문이다. 하나님께 100퍼센트 순종하겠다고 고백하려는 순간 사탄은 내 옆에서 속삭일 것이다.

"야, 너 미쳤어? 그렇게 고백할 때 하나님께서 '너 잘 됐다. 몽골에 선교사로 가라' 라고 하시면 어떻게 할래?"

"너 직장에서 쫓겨나고 싶니? 가뜩이나 능력 없다고 상사 눈 밖에 났는데, 네가 어떻게 잡은 직장인데…."

"너 왕따 되고 싶어? 요즘은 네트워크가 힘이라는데. 인맥 관리 하려면 하나님 말씀대로 하다가는 망한다."

사탄은 우리에게 하나님의 성품에 대한 오해를 불러일으켜서 하나님은 우리가 싫어하는 것을 강요하시는 분 내지 엄격한 분, 잘못을 지적하시는 분으로 여기게 만든다.

대부분 아직 미혼인 사람은 기도할 때 "주여! 모든 것을 주 뜻대로 이루어주소서"라고 기도하지만 속으로는 '결혼만은 내 뜻대로 하게 해주세요' 라고 생각하는 경우가 많다.

헌신을 다짐하는 기도를 할 때 "주여, 이 몸을 주님께 바칩니다!"라고 말하지만 속으로 '그래도 이거, 이거, 이거는 안돼요' 하는 게 있다. '하나님, 적어도 이 부분만큼은 건드리지 말아주세요' 라고 바란다.

설교를 들을 때도 자신이 허용하기 어려운 내용이 나오면 움츠러든다.

"하나님, 여긴 제 영역이에요. 안 도와주셔도 됩니다. 방해만 하지 마세요. 나 혼자서도 잘할 수 있어요."

"하나님, 이건 하나님과 타협이 안돼요. 나는 내 길을 가렵니다."

우리가 어떤 영역에서는 하나님께 내려놓지 않고 움켜쥐는 것이 있다. 한국의 부모들에게는 자녀의 대학진학 문제가 특히 그렇다. 사업을 하는 사람들에게는 사업하는 방식에 그런 요소가 많다. 혹시 내려놓으면 하나님이 나를 힘들게 하실까 봐 "이것만은 안 되는데…" 하면서 막는 것들이 있지 않은가? 그 부분에 대해 하나님이 이 책을 읽는 한 사람 한 사람에게 직접 말씀하시고 다루시기를 소망한다.

바나나가 잡은 원숭이

하나님께서 우리에게 순종을 원하시는 이유가 있다. 우리를 자유케 하시기 위해서다.

남미의 인디언 부족들 중에 항아리를 이용해서 원숭이를 잡는 부족이 있다. 원숭이들이 자주 다니는 길목에 목이 좁은 항아리를 놓고 그 안에 바나나를 넣어둔다. 그러면 호기심 많은 원숭이들이 다가와 항아리를 살핀다. 그러다가 그 안에 바나나가 들어 있는 것을 알고 손을 집어넣어 바나나를 잡는다.

그런데 항아리의 목이 좁아서 원숭이가 주먹을 쥔 상태에서는 손이 빠지지 않는 것이 문제이다. 원숭이는 바나나 잡은 손을 놓지 않고 그대로 눈만 말똥거릴 뿐이다. 원숭이를 잡으러 인디언들이 다가오는데도 말이다.

이 이야기를 처음 들은 나에게 한 가지 의문이 떠올랐다.

'과연 원숭이가 바나나를 잡은 것일까, 아니면 바나나가 원숭이를 잡은 것일까?'

원숭이의 수준에서 보면 자신이 바나나를 잡고 있다고 여길 것이다. 그러나 원숭이를 잡은 인디언의 눈에는 바나나가 원숭이를 잡은 셈이다. 우리가 하나님께 불순종하도록 만드는 것이 바로 항아리 속 바나나이다. 하나님의 말씀에 순종하여 바나나를 손에서 놓는 것이 우리를 자유하게 만드는 길이다.

우리는 우리가 사랑하는 것에 붙잡혀 있다. 특별히 우리를 가장 집요하게 묶고 있는 것이 바로 자신에 대한 집착이다.

2장 자기 자신을 사랑하는 것도 죄가 되나요

극대화된 자아의 시대

이 시대는 끊임없이 나 자신에게 집중하라고 말한다. 최근 한국에 들어와 한국의 방송을 접하다보면 TV드라마와 광고 모두 하나의 메시지를 내보내고 있다는 것을 느낄 수 있었다. 대중매체는 끊임없이 “나, 나, 나”를 외친다. 내가 만족하고, 내가 튀고, 내가 드러나는 것, 내 주장을 관철시키고, 자신을 극대화하는 것, 이것이 성공이라고 강조한다. 자신이 세상의 중심에 있어야 한다고 가르친다. 이 시대는 ‘나’를 숭배하고 ‘나’를 우상화하는 일에 몰두하게 만들고 있다.

인터넷 미니홈페이지에 들어가보면 자기숭배의 은밀한 현장을 볼 수 있다. 크리스천들의 홈페이지라고 해서 크게 다르지 않다. 결국 드러나는 메시지는 '나' 또는 '자아숭상' 인 경우가 많다. 그곳에 아무리 좋은 설교 말씀이 링크되어 있고 뛰어난 기독교교육 사이트에 대한 소개가 있더라도 그것은 홈페이지를 꾸미는 데커레이션일 뿐이다. 계속해서 그 사이트가 주는 메시지는 "나는 중요한 사람이며 가치 있는 사람입니다. 나를 인정해주시고 나에게 관심을 보여주세요"라는 것이다.

교회에 다니지만 교회 신앙생활의 목표가 '자아실현' 이 되는 경우를 흔히 목격하게 된다. 세상의 영향을 받아 어느새 자기가치의 구현이 교회생활의 핵심 목표로 자리 잡는 경향이 강해졌다. 많은 신자들이 교회에 다니고 하나님을 믿는 이유가 무엇인가? 자신들의 생활에 유익하기 때문이다. 교회를 다니는 목적도 세상에서의 성공인 경우가 많다. 만약 이것을 위한 노력이 좌절되기라도 하면 어김없이 하나님을 향해 분노를 쏟아놓는다.

근간에 영향력을 끼치는 뉴에이지 운동이 추구하는 것은 우주에 산재한 힘을 빌려 내가 원하는 것을 이루는 것이다. 몽골의 샤머니즘이나 라마 불교가 추구하는 것도 결국 우주에 존재하는 신(神)의 힘을 빌려 자신이 원하는 것을 이루는 데 있다. 비록 추구하는 것이 거룩한 것처럼 보일지라도 결국 자기실현의 노력이 핵심이다. 그런데 우리가 하나님을 이용해서 우리가 원하는 것을 이루기 원한다면 다른 종교나 주의를 추구하는 사람들과 다를 바가 없다.

우리는 신앙생활 가운데 우리가 진정으로 추구하는 것이 무엇인지 물을 필요가 있다. 혹시 자신을 너무나 사랑한 나머지 진정한 성공을 이룰 수 있는 열쇠를 잃어버리지는 않았는가? 그것은 바로 아버지의 사랑이다. 그것이 우리에게 필요한 전부이다. 아버지의 사랑보다 더 중요하게 여기는 것이 있다면 아버지를 잃어버리고 돼지우리에서 배를 움켜쥐게 된 탕자 비유의 둘째 아들과 하등 다를 바 없다.

자기 사랑에 압도되는 마음의 병

《내려놓음》이 출간되고 나서 아내의 삶에도 변화가 일어났다. 일단 내가 사역에 할애하는 시간이 많아지다보니 아내가 홀로 보내는 시간이 많아졌다.

나에게 신앙상담 또는 조언을 구하는 독자들의 이메일을 보며, '나'와 다른 사람들이 기대하는 '나'가 다르게 비춰질 수 있다는 것을 새삼 느낀 듯했다. 남편으로 인해 자신까지 주목의 대상이 되는 것에 부담도 느꼈다. 평범한 주부에게는 주위의 기대 어린 시선이 버겁기도 했을 것이다. 한편 하나님께서는 한 사람의 환경을 순식간에 바꿔놓으실 수 있는 분이라는 깨달음 앞에 경외감에 휩싸이기도 했다.

2006년 3월 무렵, 아내는 심각할 정도의 슬럼프에 빠져 들었다. 나 역시 초기에는 아내의 어려움이 이런 심각한 상황까지 초래하리라고는 생각지 못했다. 나도 후에야 아내의 이야기를 듣고 아내가 경험했던 전모를 알 수 있었다. 다음은 아내의 고백이 담긴 글이다.

나는 오병이어선교회가 몽골 국립과학기술대학 내에 세운 몽골 영양개선연구소의 소장으로 섬기며 어려움을 겪어왔다. 대학원 졸업과 동시에 결혼을 하여 3개월 후 남편의 유학길에 동행했기 때문에 직장생활에 대한 경험도 없는데다가 성격상 남 앞에 나서야 하는 소장의 자리가 너무 버거웠다. 더욱이 선교지에 왔지만 남편의 헌신에 순종하는 마음으로 따라왔지 선교사의 삶에 대해 개인적으로 정리되어 있지 않았다. 마음고생이 심해서 소장 자리에서 물러나고 싶을 때도 많았지만 그때마다 하나님께 나 자신을 내어드리려는 마음으로 자리를 지켰다.

더욱이 나에게는 교회 사역과 학교 사역을 동시에 감당하는 남편과 두 아이를 돌볼 책임까지 있었다. 어느새 하나님이 아닌 다른 사람들에게 인정받기 원하는 나의 모습을 보게 되었다. 내 안에 전(前) 소장과 비교하여 인정받고 싶어 하고, 연구원들에게 전 소장 못지 않다는 인상을 주고 싶어 하는 마음이 있었던 것이다.

또한 내 안에 교인이나 연구원들에게 착한 사람으로 인식되기를 원하는 마음이 있다는 것을, 나는 나중에서야 깨달았다. 착한 소장으로 인정받고 싶어서 여러 문제를 앞에 두고도 겉으로 드러내지 못한 채 속병을 앓아온 것이다. 남에게 싫은 소리를 못해 쌓여가는 연구소 스트레스 때문에 나는 가정에서 감당할 책임마저 버겁게 느꼈다. 에너지는 바닥났고 외부 사역과 가정 사역을 어떻게 조화시킬지 고민하며 나는 점점 침체의 나락으로 미끄러져 들어갔다.

가장 궁극적인 문제는 영적 전쟁에 대한 무지였다. 하나님께 순종하는 마음으로 선교지에 왔지만 나는 이곳이 영적인 전쟁터라는 사실을 잘 몰랐다. 우리가 몽골에 왔을 때 서연이는 이제 막 6개월, 동연이는 유치원에 갈 나이였다. 어린 동연이와 유난히 낯을 많이 가리는 서연이를 데리고 수요예배와 금요기도회를 온전히 드리기는 어려웠다. 몸이 힘들고 예배에 집중할 수 없다는 이유로 주일예배만 드리면서 아이들과 집에서 보낼 때가 많아졌다. 나중에 예배가 어떤 의미인지 깨닫고 나서, 나는 그때 하나님 앞에 목숨을 내놓는 마음으로 예배의 자리를 지키지 못한 것, 나를 사랑하는 마음이 앞섰던 것이 얼마나 큰 실수였는지 고백했다.

남편은 교회와 학교에서 많은 영혼을 돌보며 미국에 있을 때보다 더욱 영적으로 성숙하며 앞서 달려 나가는데 나는 뒤에서 두 아이들과 주저앉아 점점 더 큰 차이가 벌어지는 것만 같은 상황을 지켜보는 나의 상실감은 커져갔다. 《내려놓음》이 출간된 2006년 3월은 남편이 해외 사역으로 집을 비우는 기간이 길었다. 더욱이 동연이가 초등학교에 입학하여 적응 과정에서 오는 스트레스를 견디는 일까지, 나는 몹시 고통스러운 시간을 보냈다.

몽골에 온 지 2년이 못 된 시점에서 찾아온 영적 곤고함과 연구소의 스트레스, 많은 책임에 묶여 있다는 분노, 제대로 못하고 있다는 죄책감과 동연이에 대한 걱정과 두려움이 쌓여 무기력증과 동시에 우울증 증상이 찾아왔다.

똘똘이 스머프

아내 속에 지치고, 힘들고, 눈물도 안 나오고, 가슴이 답답하고, 기쁨도 없고 심지어 그냥 죽어버리고 싶은 3개월이라는 시간이 고통스럽게 흘러갔다. 아내의 어려움은 부부관계에도 문제로 작용하기 시작했다.

그 무렵 《내려놓음》을 읽은 한 주부로부터 이메일을 받았다.

"제가 책을 보고 감동을 받았는데 특별히 남편을 판단하는 마음이 있었다는 것을 느꼈습니다. 마음에 가책을 받아 기도하던 중 남편 앞에 무릎을 꿇고 용서를 빌도록 성령님께서 인도해주셨습니다. 그 일을 통해 가정의 회복이 일어났습니다."

그 이메일을 보는 순간 "내가 쓴 책의 한 구절에 그 분이 영향을 받은 것이 아니다. 그 구절 가운데 하나님이 역사하셔서 그 분의 마음을 만지신 것이다"라는 것을 깨달았다. 그런데 당시 내 아내는 영적으로 깊은 슬럼프에 빠져 있었고, 책을 읽고 감동하고 회개하게 만든 책의 저자인 나는 정작 내 아내 한 명을 변화로 이끌 수 없었다.

아내가 집에 돌아와 마음에 어려운 문제를 나누려고 하면 나는 그 문제에 대해 조언하려고 했다. 그러면 아내는 이렇게 말하곤 했다.

"여보, 정답을 이야기하지 말아줘요. 정답은 나도 알아요. 내가 원하는 것은 정답이 아니에요."

남자들은 누군가 문제를 가지고 찾아오면 그 문제에 대해 답을 주려고 하는 경향이 있다. 하지만 여자가 원하는 것은 문제에 대한 답이 아니라 공감해주는 말이라는 사실을, 나는 이 과정을 통해서 배울 수 있었다.

한 번은 내가 아내에게 나의 고등학교 때 별명이 '개구쟁이 스머프' 라는 만화의 한 캐릭터인 '똘똘이 스머프' 였다는 말을 한 적이 있다. 늘 바른말과 정답을 이야기한다고 해서 얻은 별명이다. 그 말을 들은 아내가 박장대소하며 공감을 표현했다.

"맞아! 당신, 진짜 똘똘이 스머프야!"

내가 똘똘이 스머프처럼 정답을 말할 수는 있지만 정작 그것이 자신에게 위로가 되지 못한다는 뜻이었으리라.

변화의 주체는 누구인가?

아내가 힘들어지자 권면하거나 위로하고 싶어도 그런 말을 전할 수 없었다. 아내의 어려움을 보고 또 적절한 도움을 줄 수 없는 나의 상태를 보며 나는 내 한계를 돌아보게 되었다. 하나님께서 내 책을 사용하셔서 다른 사람에게 은혜를 주실 수는 있지만 정작 나 자신은 아내에게 어떤 권면도 어떤 도움도 줄 수 없는 존재인 것이다. 나는 하나님께서 개입하시지 않으면 아내의 우울증 문제가 해결될 수 없으리라는 사실을 절감했다.

아내가 정신적으로 영적으로 힘겨워 하면서 몸에도 이상이 나타났다. 위와 장의 문제로 며칠씩 식사조차 제대로 하지 못했다. 아내의 배를 쓸어내리며 기도해주고 함께 예배를 드렸다. 하지만 어떻게 변화의 실마리를 찾아야 할지 알 수 없었다.

아내는 마침 선교회에서 주관하는 선교훈련 과정 중 2주 동안 진행되는 내적 치유 과정에 들어갔다. 이 과정을 통해 자신의 성장 과정에서 형성된 내면의 상처와 마음의 왜곡을 볼 수 있게 되었다.

아내는 본래 자신의 자아상은 건전하기 때문에 내적 치유는 필요하지 않다고 생각했다. 그러나 훈련을 통해 자신의 문제의 근원적인 원인을 보는 눈을 갖게 되었다. 치유 과정으로 마음에 한 줄기 빛이 비치기 시작했지만 그것은 결코 근원적인 문제 해결이 아니었다.

복음으로 돌아가라

아내는 순종적이고 착한 크리스천으로 바른 신앙생활을 해왔다. 아내는 미국에서 8년 동안 교회를 섬기며 자신도 모르게 오로지 착하게 신앙생활 하는 것이 예수님이 원하시는 것이라 여겼다.

문득문득 자신의 신앙생활에 뭔가 빠진 것이 있는 듯하다는 생각도 했지만 무엇이 문제인지 깨닫지 못했다고 한다. 그런데 몽골에 와서 이번 일을 겪으며 자기 안에 무엇이 없는지 깨닫게 되었다. 고백하건대 그것은 바로 '복음'이었다. 바로 자신의 죄 때문에 십자가에서 피 흘려 돌아가신 예수님이 없었다.

때맞추어 복음을 집중적으로 소개하는 어느 선교단체의 세미나가 몽골에서 열렸다. 나 역시 그 선교 단체 대표의 강의를 상해 코스타에서 들으며 복음에 대한 탁월하고 명쾌한 이해를 주실 수 있는 분이라고 생각했다. 당시 하나님을 더욱 절실히 찾았고 예수님만이 자신을 구원해주실 수 있다고 믿은 아내는 나의 권면을 받아들인 뒤 기대감을 안고 5박 6일간 계속되는 그 과정에 등록했다.

아내는 이 기간 동안 복음의 가치와 능력에 대해 처음으로 마음 깊이 누리고 받아들였다. 그 과정을 마친 다음 아내가 말했다.

"선교사가 복음이 없어서 죽어가는 것이 어떤 것인지 경험했어요."

선교사는 적어도 복음의 가치가 갖는 깊이를 체감하고 또 그것을 전하기 위해 부르심을 받은 사람들이다. 선교사에게 가장 필요한 것이 복음이다. 선교지에서 계속 빗발치는 영적 공격 가운데 회복되고 새로워지는 비결은 복음으로 돌아가는 것이다.

아내는 복음을 새롭게 접하면서 변화를 받았다. 영혼이 소생되고 우울증이 사라졌을 뿐 아니라 육체의 질병도 호전되었다. 아내는 우울증이 자신의 죄성(罪性)에서 기원하는 것임을 알았다. 우울증의 배후에는 극도의 자기애(自己愛)가 숨어 있음을, 자기가 상처받았다고 느끼고 그 상처를 핥고 또 핥으며 자기연민에 빠져 있었다는 것을 안 것이다. 상처받은 것 자체가 죄의 결과이다. 또 그 상처를 곱씹으며 자기연민에 빠져서 "나는 불쌍한 존재야, 세상에 나 하나밖에 없는 것 같아…. 나는 외로워"라며 점점 더 깊은 감정의 나락으로 빠져 들어가는 것이 우울증이다.

아내는 이런 자신의 모습을 돌아보며 자신이 주님의 은혜의 십자가를 통하지 않고서는 구원받을 수 없는 죄인임을 깊이 인식하고 고백하게 되었다. 그러고 나자 우울증 증상을 극복할 수 있었다. 그 마음속에 기쁨과 용기가 가득해지면서 필요하다면 연구소에서 싫은 소리도 할 용기가 생겼고, 불의에 대한 거룩한 분노도 느꼈다고 한다.

십자가 수술

나는 아내가 복음을 어떻게 새롭게 받아들였는지 아내와 깊은 대화를 나누었다. 그런데 아내의 이야기를 들으며 아내가 새롭게 깨달았다는 것이 평소 내가 이레교회에서 설교했던 내용과 크게 다르지 않다는 것을 발견했다. 나는 아내에게 조심스럽게 말했다.

"여보, 당신이 깨달았다고 하는 게 실은 내가 《내려놓음》에서 여러 번 다룬 내용인데…."

"아, 맞아…. 그래요!"

나는 《내려놓음》에서 다룬 내용을 한마디로 요약할 때 언제나 갈라디아서 2장 20절 말씀을 제시한다.

> 내가 그리스도와 함께 십자가에 못 박혔나니 그런즉 이제는 내가 산 것이 아니요 오직 내 안에 그리스도께서 사신 것이라 이제 내가 육체 가운데 사는 것은 나를 사랑하사 나를 위하여 자기 몸을 버리신 하나님의 아들을 믿는 믿음 안에서 사는 것이라

내가 강조하고 싶었던 것은 내 것을 포기하고 주님의 주권을 인정하며 주님이 주인 되시는 삶이다. 내 것을 내려놓을 때 하나님으로 채워진다는 말은 내가 주와 함께 십자가에서 죽으면 주께서 내 안에서 다시 사신다는 진리를 좀 더 쉬운 표현으로 설명한 것일 따름이다.

아내는 내가 책에서 고백한 수많은 간증을 함께 경험한 사람이다.

더욱이 내가 탈고할 무렵 혹시 내가 책에 과장하거나 잘못 기억하고 있는 점은 없는지 점검한다고 빨간 줄로 일일이 고치는 수고를 마다하지 않은, 내 책의 첫 번째 독자이기도 했다. 그런 아내조차 내가 말하고자 한 복음의 가치에 대해 간과한 것이다.

믿음에서 가장 기초가 되는 복음의 문제를 정확히 이해하지 못했고 복음의 삶에서도 빗나간 부분이 있었으면서 그것을 깨닫지 못한 채 더 이상 다른 필요도 느끼지 못하고 있었다. 아무런 변화도 바라지 않고 "이대로 좋사오니" 하면서 남아 있었다. 그런 아내의 상태에 대해 하나님은 연단의 시간을 통해 수술을 시작하신 것이다.

내가 왜 죄인인가?

아내는 후에 당시 자신의 모습을 '착한 크리스천 콤플렉스'라는 용어로 정리했다. 아내는 착한 교인이었다. 목사님이 참으로 예뻐할 만한, 착하고 문제 일으키지 않고 순종 잘 하는 그런 신자였다. 남편을 따라 몽골까지 와서 선교 사역의 일선에 있을 정도이니 적어도 남들이 보기에 대단한 신앙인으로 여기게 마련이다.

문제는 거기서 멈추어 더 이상의 성장이 일어나지 않았기 때문에 자신의 죄성을 깊이 자각하지 못했다는 것이다. 따라서 십자가의 능력에 대해서도 그저 머리로만 이해했지 그녀의 영혼 깊은 곳에서 이 십자가의 죄 사함의 진리를 고백하고 체험하지 못했다. 단순히 착하고 좋은 교인이 되는 것만으로는 하나님을 진정으로 대면하여 만날 수 없었다. 아내에게 하나님은 남편의 하나님이었지 자신의 하나님이 아니었다.

우울증을 겪는 동안 아내는 예수님 한 분만으로 행복하지 않았던 자신에 대해 성찰하는 시간을 가졌다. 예수님 외에 자신에게 기쁨이 되는 것들을 너무나 많이 발견한 것이다. 아내는 고백했다.

"입으로는 예수님이 나의 기쁨이라고 이야기했는데, 이레교회의 교인들 앞에서도 예수님을 잘 믿는 선교사로 보일 수 있었지만, 하나님이 보시기에는 '예수님 이외에 너무나 많은 것들로 기뻐하는 사람'일 뿐이었습니다."

아내가 고백한 새로이 깨달은 복음의 핵심은 바로 내 자아(自我)가 십자가에 못 박혀 예수님과 함께 죽어야 한다는 진리에 관한 것이다. 아내는 자신이 괜찮은 사람이라고 여겼기 때문에 자신의 구원에 관한 한 자신이 반드시 십자가를 통과해야 한다는 사실을 가슴으로 경험하지 못했다. 자신에게는 죄 문제가 그다지 심각하지 않다고 생각해왔다. 그래서 마음 속 깊숙이 도사리고 있는 자신의 죄성을 보지 못했다. 자신이 착한 사람이 아닌 어쩔 수 없는 죄인이라는 사실을, 우울증으로 번져나가는 자기 속의 문제를 통해 확인할 수 있었다. 아내는 지속적인 기도 가운데 고백했다.

"내 안에 죄인의 모습을 봅니다. 그러고 나서 보니 자신을 죄인의 괴수라고 자칭했던 사도 바울의 말년의 고백을 구체적으로 이해할 수 있었어요."

반쪽짜리 복음

죄를 지으면 인간은 영적 육적인 죽음에 놓이게 된다. 죄는 인간의 자아와 인격과 생명에 붙어 있으므로 죄만 없애버릴 수가 없다. 죄를 없애기 위해서는 죄의 삯으로 요구하는 죽음을 당할 수밖에 없다. 이 죄와 율법의 요구를 해결하기 위해 예수님께서 십자가에 달려 돌아가셨다.

우리는 많은 경우, 예수님이 우리의 죄 문제를 해결하기 위해 십자가에서 돌아가셨다는 사실을 고백하는 데서 멈추어버린다. 많은 현대 교회가 복음을 받아들이기 쉬운, 간편한 것으로 바꾸어 전달하는 예가 많았다. 좀 더 많은 사람들에게 다가갈 수 있도록 그리고 부담 없이 복음을 받아들이도록 하기 위해서다. 필요한 노력일 수도 있지만, 문제는 예수님이 진 십자가, 여기에서 멈춰버리기 때문에 십자가의 의미를 반감시켜 버린다는 것이다. 내가 예수님과 함께 십자가에 못 박혀야 비로소 십자가가 나에게 의미를 갖는다는 것을 강조하지 못한 것이다.

그래서 십자가 복음의 능력은 반쪽짜리가 되어버렸다. 예수님을 믿는다고 고백하지만 삶에 변화가 없고, 교회는 다니지만 능력이 없고, 영향력이 주변으로 흘러가지 못하고 마는 것이다. 교회생활이 처음에는 재미있었다. 하지만 점차 교회에서 상처받고 실망하면서 힘들어지고 지치는 것은 십자가 복음에 대해 반쪽만 알고 살아가기 때문에 나타나는 현상이 아닐까?

세례를 받는다는 진정한 의미에 대해 알고 있는가? 세례를 받을 때 예수님이 나를 위해 십자가에 달려 죽으셨다는 사실만 알았다면 세례에 대해 반쪽만 아는 것이다. 현대의 크리스천들이 세례를 너무 쉽게 생각하는 경향이 있는데 바로 이 때문이다. 그러나 세례의 진정하고 온전한 의미는 예수 그리스도와 함께 내 자아가 죽는 것이다. 세례가 이를 상징한다.

내 자아가 죽어서 예수님과 함께 새로운 자아로 다시 살아나는 것이 세례이다. 예수님이 주인 되는 자아가 되는 것이다. 그런데 세례는 받았지만 여전히 두 손에 모든 것을 움켜쥐고 있는 경우가 많다. 여전히 내가 주인이 되는 삶을 사는 것이다.

아직 죽지 않은 증상

아내는 자신이 우울증에 빠지고 힘들어 한 근본 원인이 자기자아가 온전히 십자가에 못 박히지 않았기 때문이라는 사실을 깨달았다. 화살을 맞았다고 해서 죽은 송장이 벌떡 일어나는 법은 없다. 상처 입었다고 벌떡 일어나 아파하는 것도 자아가 죽지 않았기 때문이다.

어느 목사님께서 몽골국제대학교 목요 사역자 예배에서 말씀을 전하시다가 이런 질문을 하셨다.

"지렁이를 밟으면 왜 꿈틀하는지 아세요?"

목사님이 주신 정답이 바로 십자가 복음과 관련한 우리 문제의 정곡을 찌른다.

"제대로 꽉 밟지 않았기 때문이지요."

그렇다. 죽지 않았기 때문에 아파하고 상처입고 그 상처를 곱씹으며 그렇게 살아가는 것이다. 우리가 부활로 넘어가기 전에 반드시 해결해야 할 관건이 있는데 그것은 바로 우리의 자아가 십자가에 못 박히는 일이다. 문제는 우리 힘으로는 그것을 할 수 없다는 데 있다. 이 부분을 해결하기 위해 하나님께서 우리에게 허락하신 선물이 바로 성령님이다.

아내는 자신이 경험한 변화에 대해 호주의 시드니 영락교회에서 간증한 적이 있었다.

"사실 선교사로 몽골에 왔는데, 선교지에서 우울증으로 고생했다고 하면 부끄러운 일일 수 있습니다. 하지만 저는 이 일을 자랑합니다. 왜냐하면 이 아픔을 통해서 제가 예수님을 더욱 깊이 알고 사랑하게 되었기 때문입니다. 내 삶에 문제가 없으면 내가 잘나서 문제가 없는 줄 알고 마음이 높아져서 살아갑니다. 하지만 문제가 있을 때는 마음이 낮아집니다. 하나님을 찾게 됩니다. 하나님을 찾으면 하나님께서 꼭 만나주십니다."

물론 아내는 복음을 새롭게 경험한 이후에도 지속적인 영적 싸움을 싸워나갔다. 해결된 줄 알았던 문제들이 다시 자신을 힘들게 하는 경우를 만난 것이다. 인간관계에서 오는 문제가 자주 자신을 끌어당겨 짜증과 분노를 일으키기도 했다. 결국 아내는 증세가 형성되고 지속된 기간만큼 하나님 안에서 그 문제와 싸워야 한다는 것을 깨달았다. 자신 안에 하나님의 나라와 하나님의 통치 방법에 대해 거스르고 싶어 하는 본성이 있음을 더 깊이 느끼고 더 깊이 성장해나가야 한다는 것을 경험을 통해 배웠다.

이 영적 싸움의 과정에서 아내는 점진적으로 성령님을 더 깊이 체험하며 담대함과 충만함을 경험했고 깊은 영적 영역으로 들어가는 기회를 얻었다.

3장 나보다 앞서 일하시는 하나님을 신뢰하라

사람의 일을 보라? 하나님의 일을 보라!

해마다 몽골에는 단기선교팀이 많이 방문한다. 올 여름에도 많은 팀들이 찾아왔다. 그 해의 단기팀 가운데는 삼성의료원에서 온 의료사역팀도 있었다. 이 팀을 맡으면서 나에게 한 가지 고민이 생겼다. 삼성의료원 팀 내에 믿지 않는 의사도 함께 오기 때문에 적극적인 전도보다는 의료를 통한 간접 사역을 원한다는 뜻을 그쪽에서 먼저 전해왔기 때문이다. 하지만 나는 전도하지 않으려면 오지 않으셔도 좋겠다는 메일을 보냈다. 당돌한 메일에 아마 담당하시는 분이 많이 당혹스러웠을 것 같다.

사실 전도하도록 유도하는 것은 교회에 성도를 늘리거나 몽골에 믿지 않는 사람들을 구원하기 위해 진력해야 한다는 뜻 때문만은 아니었다. 이 분들이 이곳에서 하나님이 일하심을 보고 하나님과의 관계를 새롭게 볼 수 있는 시야와 기회를 얻게 되기를 바라서다. 성령님이 가장 강력히 역사하시는 현장은 영혼이 변화되는 장소이기 때문이다.

나는 이들이 이런 체험을 하지 못하고 돌아간다면 그것은 반쪽짜리 사역이라 생각했고 그러면 그것은 시간 낭비라고 보았다. 봉사는 열심히 했는데 하나님께서 기억하지 않으시는 것이 되면 무슨 소용일까? 결국 나는 이런 취지를 담아 강경한 답변을 하게 되었다.

그런데 기도하던 중 주님을 따르는 과정에는 원하지 않거나 또는 익숙하지 않은 길을 가야 할 때도 있음을 묵상하게 되었다. 사실 내게 익숙한 길은 선교팀들을 지방으로 보내고 전도 현장 속으로 밀어 넣어 직접 하나님의 인도하심을 느끼도록 돕는 것이었다. 그런데 하나님은 나에게, 그들에게 나의 방식을 요구하기보다 기다리며 전혀 색다른 영역의 사역 가운데로 들어가 나를 낮추고 새로운 방식에 적응하도록 훈련하기 원하신다는 것을 깨닫게 하셨다. 나는 곧 아직도 훈련 받아야 할 부분이 많은 나를 보며 하나님 앞에 부끄러워졌다. 그리고 삼성의료원 의료사역팀에게 다시 메일을 썼다.

나는 하나님께서 삼성의료원 팀을 보내주신 이유를 나중에 알았다. 그들을 통해 결국 죽을 수밖에 없는 환자가 생명을 얻었고 치료받을 길이 없던 사람에게 새로운 삶의 길이 열리기도 했다. 입으로 말씀을 전하지는 않았지만 그들의 진료의 손길을 통해 주님을 만나는 사람들도 있었다. 몽골국제대학교에서 사역하시는 교수님 내외가 딱한 질병으로 어려운 상황 가운데 있었는데 이 의료팀의 봉사 사역 덕분에 한국으로 나가지 않아도 되었다. 더불어 많은 선교사들이 혜택을 누렸다.

이 일들을 지켜보면서 내 열심과 경험만으로 고집을 부려서는 안 되며, 하나님께 온전히 의탁하여 자신을 낮추어야 할 때가 있음을 보았다. 하나님께서는 그 해 여름 내내 이 점을 말씀하셨다.

자신에게 익숙한 것, 자신이 기대하는 것으로 사역하다보면 사람의 일만 보게 된다. 하지만 자신의 경험과 지식과 기대를 버리고 하나님을 구하면 하나님의 일하심을 본다. 아무리 전공 분야별로 철저히 준비했더라도 그것만 의지하고 나아가면 결국 사람의 일만 하다가 사람이 할 수 있는 정도의 봉사에 만족하고 돌아가게 된다. 그러나 나의 약함 가운데 일하실 하나님의 위대하심을 바라고 나아가면 전혀 새로운 것을 보고 누리게 된다.

베테랑 운전기사를 믿고 떠난 여행

2006년 6월 나는 나 자신이 신뢰하는 것이 무엇인지 깊이 생각하게 된 경험을 했다.

몽골의 기독교 역사와 관련한 영상 다큐멘터리 제작 목적으로 나는 9박 10일간의 여행길에 올랐다. 나는 그 여행의 기획 및 재정 책임을 맡았다. 그 팀의 일원 가운데는 이레교회의 한국어 통역 툭수, 몽골국제대학교 학생이자 영어 통역을 맡은 모기, 그 외에 몽골의 선교 상황을 영상으로 담거나 기독교적인 가치를 담은 영화 제작을 꿈꾸는 몽골인 영상

선교팀, 《팔복》으로 잘 알려진 김우현 감독의 '버드나무' 팀의 일원이자 비디오 영상을 촬영하고 편집하는 김동석 형제와 그 일행이 참여했다.

이 다큐멘터리의 목적은 몽골의 기독교 유적을 답사하고 영상화하여 공산사회에서 살았던 몽골인들에게 7세기 이래 기독교가 자국(自國)의 역사와 깊은 관계를 맺고 있다는 사실을 각인시킴으로써 기독교가 낯선 외국 종교가 아니라는 사실을 인식시키는 것이다. 아울러 이미 약 3만 명으로 추산되는 몽골의 기독교인들이 자긍심을 가지고 전도할 수 있는 토대를 마련해주는 데 있었다.

몽골의 고대 기독교 유적을 탐사하려면 편도 약 3천 킬로미터에 해당하는 초원길과 산악지대를 누벼야 했다. 몽골은 수도를 벗어나면 포장된 도로가 없다고 해도 과언이 아니다. 산을 넘고 강을 건너고 자갈밭과 바위산을 지나야 한다. 따라서 중간에 차가 고장 나거나 길을 잃게 될 경우 심각하면 생명을 잃을 수도 있다.

내가 그 여행을 시작하면서 가장 신뢰한 사람이 있었다. 이레교회의 운전사인 '남해' 라는 사람이다. 그는 13살 때부터 시골길을 운전해온 베테랑 운전기사이다. 그는 몽골 지방 여행을 수십 차례 해보았기 때문에 방방곡곡 시골 길을 잘 알고 있었다. 초행길을 제대로 찾는데도 탁월한 재능이 있었다. 길이 없는 들판에서도 방향감각이 정확하다. 밤에는 별을 보며 운전했다. 그는 산세를 익혀두었다가 한 번 갔던 길을 반드시 다시 찾아내곤 했다. 더욱이 난코스에서도 트랙을 벗어나지 않으면서 차를 빨리 모는 운전의 달인이었다. 그는 빨리 달릴 뿐만 아니라 들판 사이사이에 있는 돌이나 장애물들을 기막히게 피할 줄도 알았다. 더욱이 보통 사람은 비포장 돌밭길을 '푸르공'이라는 러시아 군용차로 1시간만 운전해도 팔이 아파 더 운전하기 어렵다는데 그는 하루 종일 운전할 수 있다. 또 엔진을 분해했다가 다시 조립할 정도로 웬만한 자동차 정비까지 직접 하는 사람이다.

나는 이런 남해와 또 다른 한 명의 운전사와 함께 차 두 대로 여행하기 때문에 최악의 상황은 면할 수 있으리라 생각하고 마음이 든든했다. 하지만 워낙 길이 멀고 험해서 "미리미리 길을 알아두고 자동차 정비도 철저히 해두라"는 당부를 잊지 않았다. 그래서 다른 때보다 예비 타이어도 많이 실었다.

이 정도면 모든 준비가 다 되었으리라 여기고 출발했는데, 어떻게 된 일인지 출발한 지 2시간도 지나지 않아 문제가 속출하기 시작했다. 남해가 운전하는 자동차 바퀴에 펑크가 났다. 그 후 3시간마다 바퀴가 터지기 시작했다. 둘째 날부터 남은 바퀴가 없어서 타이어의 고무 부분을 임시로 때워가며 버텼다. 과연 이렇게 끝까지 갈 수 있을지 의구심이 들기 시작했다. 셋째 날에는 남해가 운전하던 푸르공의 엔진까지 이상이 생겼다. 다행이 남해가 엔진도 고칠 줄 알아서 응급조치를 해두었지만 예정된 시간은 흘러가고 일정은 계속 늦춰졌다.

우리 팀은 가는 곳마다 일어나는 차 문제를 놓고 계속 기도했다. 기도할 때마다 하나님께서는 우리의 여행 중에 함께하시리라는 강한 확신을 심어주셨다. 차 문제로 멈춰 설 때마다 우리는 하나님께서 우리에게 보여주시는 중요한 광경을 확인했다.

일례로 엔진을 수리하기 위해 머무는 동안 하나님은 우리가 지방의 작은 여러 교회를 돌아보도록 하셨다. 그 교회를 촬영하면서 과거의 교회만이 아닌 현재 교회의 모습을 동시에 조명해볼 수 있었다. 하나님은 우리의 촬영 과정에 직접 개입하셨고 우리의 연출자가 되어주셨다.

그러나 결국 엔진의 문제로 도저히 더 이상 그 차로는 갈 수 없다는 결정이 났다. 그 차를 버리고 나머지 한 대에 전부 갈아타고 갈 수밖에 없었다. 문제는 차를 버리고 갈 수 없어서 하는 수 없이 내가 믿은 운전사 남해까지 남게 되었다는 것이다.

이제부터 내가 일하겠다!

나는 곤란에 빠진 상황에서 기도했다.

"하나님, 어떻게 합니까? 이 일정을 포기해야 합니까?"

그때 하나님이 주신 생각은 이런 것이었다.

"이제부터 내가 일하기 시작하겠다."

내가 의지하던 것을 다 내려놓은 그 다음부터 하나님이 일하시겠다는 말씀이었다. 돌아보니 나는 이 여행을 시작하면서 운전기사 남해를 줄곧 의지해왔다. 그러나 하나님께서는 자신이 이 여행의 가이드가 되기 위해 내가 가장 의지하는 대상을 제거하기로 계획하신 것이다.

그 날 나는 홉드 도(道)의 작은 마을에 운전사 남해와 그의 차를 '내려놓고' 떠나기로 결정했다. 감사하게도 그 마을에는 남해가 아는 친척

"이제부터 내가 일하기 시작하겠다."

내가 의지하던 것을 다 내려놓은 그 다음부터 하나님이 일하시겠다는 말씀이었다.

돌아보니 나는 이 여행을 시작하면서 운전기사 남해를 줄곧 의지해왔다.

그러나 하나님께서는 자신이 이 여행의 가이드가 되기 위해

내가 가장 의지하는 대상을 제거하기로 계획하신 것이다.

이 있었다. 비록 차가 고장 나기는 했어도 다행히 그곳에 남해의 친척이 있어서 도움을 얻을 수 있었던 일은 하나님의 섬세한 계획임을 느낄 수 있었다.

우리가 가진 짐의 일부와 식량 그리고 한국어 통역을 맡았던 툭수까지 함께 내려놓고, 나머지 일행 모두 다른 한 차에 타고 홉드 도의 도청 소재지인 홉드 시를 향해 밤새 달렸다. 남해의 친구인 다른 차의 운전사는 이쪽 길이 초행이었다. 경험이나 운전 기술로 볼 때 남해보다 많이 부족했다.

이제 우리는 그 한 명의 운전기사를 의지하여 깊은 밤 초원길을 헤쳐가야 했다. 여러 차례 길을 잃어 난감한 시간을 보내기도 했다. 나는 내가 신뢰하는 운전기사 남해를 하나님께서 왜 도중에 남도록 인도하셨는지 여행이 마무리될 때가 되어서야 제대로 이해할 수 있었다.

우리는 다음날 오전 목적했던 홉드 시에 도착했다. 이미 예정된 날짜보다 하루 반에서 이틀 가량 늦어진 상황이었다. 그곳에서부터 시리아어 기록이 남아 있는 바위산의 유적을 찾아가기 위해 우리는 러시아 군용차인 프루공과 기사를 수배했다. 그동안 우리의 운전사는 그날 밤 우리를 태우고 밤새 달려 다음 도시로 이동하기 전까지 차량을 정비하고 휴식을 취하도록 했다.

새로 빌린 차를 운전하는 새로운 운전기사가 말했다.

"내가 오늘 당신들을 만난 게 이해가 안돼요. 당신들은 정말 오늘 운이 좋았어요."

그게 무슨 말이냐고 묻자 "지금 여러분들이 가려고 하는 곳은 해발 5천 미터가 넘는 곳에 있고 가본 사람이 우리 도시 운전사들 중에서도 몇 안 되는 곳이에요. 몽골에서 해발 고도가 가장 높은 곳에 위치한 마을이랍니다. 지대가 너무 험해서 운전사들이 맨 정신으로 자기 차를 몰고 가기 원하지 않는 곳이지요. 나는 어제 관광객들을 태우고 여행을 다녀온 터라 정말 피곤해서 사실은 집에서 쉬려고 했어요. 그런데 잠깐 시장에 나온 사이에 당신들과 만나게 된 것이랍니다."

그러면서 이런 말도 덧붙였다.

"게다가 오늘은 몽골사람들이 불길하다고 여기는 화요일이에요. 다른 사람들은 아예 장거리 여행할 생각도 하지 않는 날인데 어떻게 하다가 내가 여기까지 왔는지 나도 모르겠습니다."

나중에 알게 된 사실은, 그 사람이 우리 일행이 가려고 하는 유적지 가까이에 있는 마을 사람들을 잘 알았기 때문에 우여곡절 끝에 무사히 그 유적지까지 들어갈 수 있도록 안내를 받았다는 점이다. 내가 만약 남해를 데리고 갔으면 그 유적지를 볼 수 있는 허락조차 받지 못하고 되돌아가야 했을지도 모를 일이다.

정교한 하나님의 계획

그 다음 마지막으로 가야 할 장소는 바양울기라는 몽골의 서부 맨 끝 지역이었다. 카자흐스탄에 가까운 곳으로 몽골 민족과 다른 민족이 함께 사는 동네인데 거기서 산을 넘어 국경지대 안으로 들어가야 했다.

그 지역의 깊은 산 속에 바얀 바아타르라는 석상이 있는데 석상에 십자가가 새겨져 있다는 조사 보고에 따라 그 곳을 답사하기로 한 것이다.

그런데 그 지역은 중국 신강성과 카자흐스탄과 몽골, 이렇게 세 나라가 접경을 이루는 곳에 위치해 있었다. 특히 그 유적은 군사 보호 구역 내에 존재했기 때문에 그곳에 들어가려면 국가안전기획부와 같은 기관에서 미리 특별허가를 받아야 한다는 사실을 우리는 미처 알지 못했다. 더욱이 산림청으로부터도 산림지역에 들어간다는 허가를 받아야 했다. 그곳에 들어가기 위해 당국으로부터 받아야 할 허가증이 두 개나 필요했던 것이다.

그런데 우리 일행 중에는 그런 사실을 미리 알고 있던 사람이 하나도 없었다. 그 유적지가 국경지대에 있다는 것도 정확히 몰랐고 그 지역이 산림보호구역이라는 사실도 몰랐다. 우리가 그 사실을 알게 된 것은 렌트한 차를 타고 가던 중 운전사가 허가증을 보여달라고 하면서부터였다. 하지만 우리에게 남은 일정은 이제 만 이틀밖에 없었다. 이틀 후 울란바토르로 돌아가 한국에서 온 팀은 다음날 비행기로 한국으로 돌아가야 했다. 남은 이틀 안에 허가증을 받는 일은 불가능했다. 더욱이 국경 지대의 군사보호구역을 통과하기 위한 허가증은 수도인 울란바토르에서 받아야만 했다. 우리에게 남은 시간은 그저 밤새 그 유적지를 향해 달려가기에도 부족한 시간뿐이었다.

심지어 우리와 함께한 몽골인 영상팀 중에 신분증조차 가져오지 않은 사람까지 있었으니 검문에 걸리면 당장 문제가 될 수 있었다. 달리는 차에서 우리는 다함께 기도했다. 문득 하나님께서 "이제 내가 일하기 시작하겠다"라고 말씀하신 부분이 다시 생각났다.

'아, 하나님께 계획이 있으시구나' 라는 깨달음이 왔다. 하나님께서 여기까지 치밀하게 우리의 일정을 놓고 줄타기를 시키고 계신다는 생각이 들었다. 이 일정 가운데 만일 하나님께서 보여주기 원하시는 것이 있다면, 이렇게 허가증 없이 오게 된 것 역시 하나님의 계획 가운데 있으리라는 데 생각이 미쳤다. 결국 우리는 갈 수 있는 데까지 가보자고 의견을 모았다.

우리가 이런 결정을 하고 있는 동안 운전사가 우리 팀 가운데 한 명의 몽골인에게 이야기했다.

"당신들, 정말 운 좋은 사람들입니다."

이 말은 우리가 이미 홉드 지역에서 유적지를 찾아갈 때 운전사가 했던 말이다. 똑같은 이야기를 다시 들었다는 사실에 궁금증이 솟았다. 그 운전사는 말을 이었다.

"지금 당신들이 가려는 곳은 일반 관광지가 아니기 때문에 이 길을 아는 사람은 우리 바양울기 시에서도 거의 없습니다. 이 길에 대해서는 내가 시 전체 운전사 중에 가장 많이 안다고 자부할 수 있는데, 나도 평생 두 번밖에 가본 적이 없어요. 여기는 길을 잃기가 쉽습니다. 그래서 실은 내가 아들을 보내려 했지요. 내 아들도 훌륭한 운전사이지만 내 아들만 보내기에 불안해서 내가 직접 나온 것이지요. 또 나는 아무나 태워주는 사람이 아닙니다. 주로 학술 조사팀들이나 정부 관계자들이 나의 주요

달리는 차에서 우리는 다함께 기도했다.

문득 하나님께서 "이제 내가 일하기 시작하겠다"라고 말씀하신 부분이 다시 생각났다.

'아, 하나님께 계획이 있으시구나'라는 깨달음이 왔다.

고객입니다. 당신들이 학문적인 연구를 하는 사람이라고 하니 무리를 해서 같이 가는 것입니다. 전날 타반 복드라는 카작인들의 성산(聖山)에 가는 팀을 운전해주고 와서 피곤이 쌓여 오늘은 쉴 예정이었는데 잠시 시장에 갔다가 당신들을 만난 것이지요."

나는 어안이 벙벙했다. 한 번도 아니고 두 번씩이나 우리에게 꼭 맞는 운전사가 구해진 것이다. 우리는 찾아 나설 생각도 없이 처음 만난 운전사와 계약한 것뿐인데, 우리가 구한 사람 모두 이 지역에서 유적지를 찾아가기에 가장 탁월한 베테랑들이었던 것이다. 설령 우리가 그 사람들을 알고 있었다고 한들 그 사람들을 찾아 쉽게 만날 수 있는 것도 아니었다. 다들 자기 일정이 있는 사람들이기 때문이다. 우리가 차 사고로 약간 지체하는 동안 하나님께서 우리가 그들에게 인도되도록 타이밍을 조율하고 계셨다고 생각하니 내 안에 호기심이 발동했다. 또 마음에 기쁨이 몰려왔다. 앞으로 벌어질 일들에 대한 기대감과 함께….

우리는 얼마 지나지 않아 바양울기 시에서 만난 이 운전사가 하나님께서 우리를 위해 예비해놓으신 사람이라는 사실을 깨달았다. 이 운전사는 몽골 서북 지역에 사는 소수 민족인 카작족으로 몽골어 외에 카작어를 할 줄 알았다. 카작인을 상대할 때 몽골어보다는 카작어를 쓰는 것이 훨씬 유리하다. 국경 지대라 인근에 몽골어를 잘 하지 못하는 카작인들도 많았고 또 군관(軍官) 관계자들 중에도 카작인들이 다수 있기 때문이다.

산림보호구역으로 들어가는 관문에서 경계를 서던 사람 역시 카작인이었다. 마침 우리 차의 운전사가 아는 사람이 근무를 서고 있었다. 그 관리인은 우리 운전사에게 자신이 보내주기는 하지만 나중에 별도로 책임자의 허락을 받아야 한다고 말했다. 카작인 운전사는 일단 첫 고비를 넘었다고 좋아하면서도 개인적으로 안쪽 지역의 국경 수비대 사람들을 잘 모르기 때문에 국경 지대 통과 허가증이 없는 것이 문제가 될 수 있다며 불안감을 드러냈다.

하나님이 예비해놓으신 기적

우리는 저녁 내 만년설과 침엽수가 펴져 있는 산악지대를 달려 밤 11시가 되어서 국경 초소 앞에 도착했다. 마침 초소 철조망 앞에 카작인 전통 게르(투르크어로 유르트)가 몇 채 있었다. 그 곳에서 하룻밤 자고 다음 날 군부대를 찾아가 허락을 받아보기로 결정하고 운전사가 그 게르 문을 두드렸다.

그 순간 갑자기 지프차 한 대가 우리 차 옆에 섰다. 알고 보니 그 집 주인인데 바양울기 시에 볼 일이 있어서 갔다가 그곳에서 하루를 보내느니 집에 돌아와 쉬자는 마음으로 저녁 내내 달려왔다고 한다. 감사하게도 그 집주인과 비슷한 시간에 우리가 그 집에 당도한 것이다. 집주인은 카작인 운전사를 보고 경계를 푼 다음 흔쾌히 우리에게 잠자리를 제공하겠다고 했다.

같이 식사를 하고 난 뒤 그 주인이 물었다. 이곳 풍습상 중요한 이야기는 식사를 하고 낯을 익힌 다음에 하는 경우가 많다. 집주인은 카작 악센트가 강한 몽골어로 물었다.

"당신들은 여기에서 무엇을 하고 있습니까?"

"우리는 학술 조사차 온 사람들인데 바얀 바아타르 석상을 조사하고 영상에 담기 위해 왔습니다."

운전사는 우리가 필요한 허가증도 없이 이곳에 왔다는 사실을 설명했다. 그러자 주인이 말했다.

"당신들은 여러 가지로 운이 좋은 사람들이군요."

우리는 그의 말이 그와 거의 같은 시간에 도착한 것만을 뜻하는 줄 알았다. 그런데 이야기를 나누다가 알게 된 사실인즉, 그가 바로 입구에서 경계를 보던 사람이 언급한 산림보호 책임자라는 것이다. 그렇다면 잠자리를 제공하고 이미 친하게 된 사람을 신고할 리 없었다. 그는 내가 몸담고 있는 몽골국제대학이 영어로 강의하는 대학이라는 사실에 관심을 보이면서 자신의 딸을 영어로 공부시키고 싶다는 뜻을 밝히기도 했다. 또 그 주인은 우리가 낮에 도착하지 않고 밤에 온 것이 다행이라는 말도 덧붙였다.

"지금 국가안전기획부에서 나와 스파이에 대한 조사를 벌이는 중입니다. 군부대에서 스파이 검색을 잘 하는지 확인하려고 국경을 조사하는 중인데 당신들이 낮에 도착했다면 큰일 날 뻔 했습니다. 당신들이 오늘 나를 만나지 못했다면 모두 잡혀갔을 겁니다."

주인은 내일 아침 일찍이 군부대에 들어가 상황을 보고 국경 검사팀들이 떠난 것을 확인한 후 부대장의 허가를 받아보겠다고 말했다. 다음날 우리는 차를 타고 눈에 띄지 않게 계곡 사이에 피신해 있었다. 얼마 후 주인의 아들이 말을 타고 와서 우리에게 전했다. 국경 수비대 안으로 들어가 단 5분 동안 촬영할 수 있는 허가를 받았다는 것이다.

군인들이 총을 들고 서 있는 초소를 지나 우리는 군부대 안에서 부대장을 만났다. 석상을 마주하니 마음이 울렁거리고 다리가 후들거렸다. 오직 한 방향에서만 사진을 찍을 수 있었지만 석상을 조사하고 촬영하면서 우리는 하나님께 감사의 기도를 연발했다. 이 모든 것이 꿈에서나 가능한 기적이었기 때문이다.

동행한 일행 모두 감격하여 눈물을 글썽거렸다. 촬영을 끝낸 동석 형제는 늘 자신의 작업 가운데 하나님의 구체적인 인도하심을 직접 느껴보기를 소망하며 기도해왔는데 그 소원이 이루어졌다며 감격했다. 돌이켜보건대 우리의 모든 일정의 1분 1초까지도 하나님의 섬세한 계획 가운데 붙들려 있었던 것이다.

하나님의 기회를 사라

나는 이 일을 통해 하나님의 신실하심을 다시 한번 확인했다. 하나님의 계획은 너무나 정교하고 정확하시다는 것 또한 보게 되었다. 내가 계획할 수 없고 바라볼 수도 없던 영역 가운데 하나님께서 일하시는 것을 목도했다. 그래서 우리의 실패도, 우리의 고난도, 우리의 약함도 하나님 앞에 드려질 때, 그리고 "하나님, 말씀하십시오. 종이 순종하겠습니다"라고 고백할 때, 하나님께서 일하기 시작하시는 것을 보았다.

나는 이 여행을 떠날 때 운전기사 한 사람을 믿었다. 그 사람만 믿고

당신이 지금 신뢰하고 있는 것은 무엇인가?
'하나님, 이것만은 건드리지 마세요' 라고 막고 있거나
하나님까지 거부해온 자신의 은밀한 공간이 있다면
이 시간 그것을 하나님께 열어 보여라.

가면 되리라 생각했다. 그러나 우리 앞에 놓여 있는 문제는 우리가 해결할 수 없는 문제였다. 도리어 내가 신뢰한 운전기사가 그의 차와 함께 남게 된 순간부터 하나님께서 일하시기 시작했다. 하나님의 타이밍에 하나님의 방식대로 일이 시작된 것이다. 이것이 하나님이 일하시는 방식이다.

아울러 이 여행을 통해 하나님께서 동방교회의 흔적을 찾아가는 이 일을 기뻐하시며 그 흔적을 목격할 뿐만 아니라 그것을 세상에 알리는 일을 위해 많은 것들을 예비하고 계시며 이끄시리라는 확증이 우리 가운데 임했다.

이 여행으로 우리 팀 전원의 영적 회복과 성장이 일어났다. 신앙적으로 느슨해졌거나 개인적으로 어려움을 겪고 있거나 하나님을 더 깊이 만나기 원했던 많은 영혼들이 이 여행을 통해 하나님의 위대하심과 세심한 배려하심을 접하며 변화를 입었다.

우리의 인생길도 이와 같다. 몽골에서 역사하시는 하나님께서 한국의 크리스천들의 삶 가운데 동일하게 일하시지 않는 이유는 과연 무엇일까? 하나님께 기회를 드리면 우리는 멋진 하나님을 만나는 기회를 누릴 수 있다.

그러나 우리는 예측 가능한 사회 속에서 살아가며 예측 가능한 일들만 추구하고 있다. 하나님께서 일하시도록 우리가 기회를 드리기보다는 우리의 계획과 경험과 고집으로 우리의 삶을 채워간다. 하나님이 들어오실 자리를 만들어 드리지 않은 채…. 결국 자신이 신뢰하는 것에 자신이 묶인 채 살아가는 것이다.

당신이 지금 신뢰하고 있는 것은 무엇인가? '하나님, 이것만은 건드리지 마세요' 라고 막고 있거나 하나님까지 거부해온 자신의 은밀한 공간이 있다면 이 시간 그것을 하나님께 열어 보여라.

4장 오직 아버지의 사랑으로 만족한다

황제 펭귄

지난여름, 미국의 한인교회 몇 곳의 초청을 받아 부흥회를 인도했다. 오클라호마에 있는 어느 한인교회 집회를 하루 앞두고 호텔 방에서 잠시 묵상하다가 텔레비전을 틀어 채널을 돌리기 시작했다. 마침 평소 즐겨 보는 디스커버리 채널이 내 시선을 끌었다.

화면 가득 남극에 사는 황제 펭귄(emperor penguin) 무리의 모습이 나타났다. 황제 펭귄들은 1년에 하나의 알을 낳아 키운다. 암컷이 알을 낳으면 수컷이 알을 넘겨받는데 이때 알이 남극의 얼음에 닿으면 금세 얼어붙기 때문에 수컷은 알을 발 위로 조심스럽게 받아서 자신의 배 가죽으로 덮어 알을 부화시킨다. 알에서 새끼가 나온 후에도 아빠 펭귄들은 새끼를 자신의 발 위에서 한시도 내려놓지 않고 품어 키운다. 매서운 눈보라가 몰아치는 날이면 펭귄들은 한데 모여서 추위를 이겨낸다.

아빠 펭귄이 알에서 깨어난 새끼를 돌보는 사이, 알을 낳고 탈진한 엄마 펭귄은 속히 바다로 나가 먹이를 먹어야 한다. 그리고 먹이를 뱃속에 가득 채운 다음 아빠 펭귄과 새끼가 기다리는 곳으로 급히 돌아가야 한다. 그것이 엄마 펭귄의 임무이다. 엄마 펭귄이 먹이를 가지고 돌아오기를 기다리며, 아빠 펭귄은 자신의 뱃속에 저장해둔 먹이를 조금씩 뱉어내어 새끼에게 먹이는 것으로 겨우 새끼의 목숨을 이어간다. 최후의 먹이까지 먹이고 나서 더 이상 먹일 것이 없으면, 그때까지 엄마 펭귄이 당도하지 못하면 아빠와 새끼는 모두 굶어죽고 만다. 추위와 배고픔을 견디지 못하고 아빠 펭귄이 먼저 죽을 경우, 아빠로부터 체온을 얻지 못하는 새끼 역시 곧 죽고 만다. 아빠 펭귄과 새끼가 모두 사는 유일한 길은 뱃속에 물고기를 가득 채운 엄마 펭귄이 나타나는 것이다. 엄마 펭귄이 늦어지면 늦어질수록 아빠 펭귄과 새끼 모두 생명이 위험해진다.

그런데 이 엄마 펭귄을 호시탐탐 노리는 천적이 있다. 바로 바다표범이다. 바다표범은 바다에서 먹이를 잔뜩 사냥한 펭귄이 빙하 위로 뛰어 오르려는 지점에 잠복하고 있다가 펭귄을 덮친다. TV 화면에 클로즈업된 바다표범이 펭귄의 날개와 배를 물었다. 놀란 펭귄들이 부지런히 도망쳤다. 물린 펭귄은 필사적으로 달아나려 했다. 오랜 사투 끝에 그 펭귄의 날갯죽지가 찢겨 나가면서 펭귄은 겨우 바다표범의 입에서 벗어났다. 아깝게 펭귄을 놓친 바다표범이 곧 다른 펭귄을 집어삼켰다.

하물며 하나님은…

물고기 사냥을 마친 다른 펭귄들이 떠나가고 어미 펭귄만 홀로 남았다. 절뚝거리는 걸음으로 걷다가 힘에 겨워진 어미 펭귄은 얼음 위에 배를 깔고 미끄러지며 계속 앞으로 나아갔다. 펭귄이 지나간 흰 얼음 위에 다리와 날개에서 흐른 선혈이 스몄다. 그 어미 펭귄이 기필코 찾아간 곳은 자신의 새끼가 기다리는 곳이다.

황제 펭귄의 무리 가운데는 수많은 새끼들이 있었다. 내 눈에는 모두 똑같았다. 그러나 상처 입은 어미 펭귄이 구슬피 울며 자신의 새끼를 부르자 잠시 후 새끼 한 마리가 그 어미 앞으로 다가왔다. 어미는 즉시 입을 벌려서 새끼에게 먹이를 먹이기 시작했다.

그 장면을 보는 내 눈에 눈물이 고였다. 상처 입은 어미 펭귄이 필사적으로 살아 돌아온 유일한 이유는 오직 그 새끼 때문이었다. 서둘러 새끼에게 먹이를 먹이는 모습을 보면서 자신의 상처를 돌아보지 않고 오로지 배고픈 새끼를 돌보기에 여념이 없는 어미의 애타는 마음이 느껴졌다. 자신이 죽으면 그 새끼의 생명을 보전할 방법이 없기에 어미는 날카로운 바다표범의 이빨에서 벗어나 피 흘리는 몸을 이끌고 새끼를 찾아 돌아온 것이다.

바다표범에게 물리는 그 순간에도 뇌리를 스치는 생각은 먹이를 기다리며 점점 생명이 꺼져가고 있을 자신의 새끼였을 것이다. 문득 나는 이 상처받은 어미 펭귄의 모습에서 하나님의 이미지를 보았다. 예수님의 십자가 사랑이 어미 펭귄의 상처와 오버랩되었다. 하나님은 어미 펭귄의 그 사랑이 어떤 것인지 알고 계셨다. 그 펭귄을 만든 분이시기 때문이다. 하나님은 동물들에게도 당신을 따라 모성애와 부성애를 만들어 넣으셨다.

레위기 22장 27절에 보면 다음과 같은 구절이 있다.

"수소나 양이나 염소가 나거든 칠일 동안 그 어미와 같이 있게 하라 제 팔일 이후로는 여호와께 화제로 예물을 드리면 열납되리라."

이 구절은 하나님께서 어미의 마음을 깊이 이해하고 계심을 보여준다. 어느 목사님은 이 구절에 대해 다음과 같이 설명하셨다.

"짐승의 새끼를 제물로 삼을 경우에는 최소한 생후 8일 이상 되도록 했습니다. 왜 이렇게 하라고 하셨을까요? 짐승 어미에 대한 하나님의 배려입니다. … 하나님의 마음이 여기까지 미쳤다면 하나님께서 자신의 아들 예수 그리스도를 이 땅에 보내셔서 십자가에 달아 죽이실 때, 얼… 마… 나… 마음이 아프셨겠습니까?"

하나님은 그 누구보다 부모의 마음을 잘 아신다. 하나님 자신의 선한 성품에 따라 부모 된 마음을 우리의 유전자 가운데 심으신 분이시기 때문이다.

아버지의 사랑을 필요로 하는 어린아이

인간 아버지와 하나님 아버지의 사랑이 갖는 공통점은 자녀 된 우리가 그 사랑을 필요로 한다는 것이다. 어린아이는 엄마만으로 만족할 수 있다. 좋은 환경이 아니라 좋은 부모가 더 중요하다.

동연이와 서연이는 엄마아빠와 잘 떨어지지 않으려는 성격의 아이들이다. 특히 동연이는 엄마와 떨어져서 한국에 남겨진 적이 있었다. 물론 열흘 뒤에 동연이도 몽골로 왔지만 수년이 지난 지금도 동연이는 그 사건을 잊지 못한다. 지금도 그때를 떠올리며 눈물을 글썽인다. 그런 아이인지라 엄마와 떨어지는 일을 너무나 싫어한다. 엄마와 떨어져보았기 때문에, 그것이 얼마나 힘든 경험인지 알기 때문에 동연이는 다른 모든 것을 포기하더라도 엄마와 떨어지지 않으려고 한다. 동연이가 학교 캠프에 가서 엄마와 떨어져 하룻밤을 보낼 수 있게 된 것은 아주 최근의 일이다.

우리는 어른이 될수록 우리에게 필요한 아버지의 사랑을 다른 주변적인 데서 대체하고자 한다. 문제는 그런 삶에 진정한 안식과 평안이 없다는 것이다. 우리는 하나님의 사랑을 필요로 하는 어린아이일 뿐이다. 한번은 아내가 시아버지를 위해 기도할 때 하나님께서 아버지를 가리켜 '내 아가' 라고 부르시며 말씀하셨다고 한다. 칠순이 훨씬 넘은 노인을 하나님께서 아이라고 지칭하셨다는 사실이 나는 전혀 새삼스럽지 않았다. 내가 하나님 앞에 한 어린아이이듯이 하나님의 눈에는 칠순 노인도 그저 어린아이로 보이는 것이리라.

우리의 내면에는 사랑을 필요로 하는 어린아이가 있다. 이 어린아이는 오직 하나님 아버지의 사랑으로만 만족한다. 그러나 우리는 우리 내면의 어린아이를 만족시키기 위해 많은 것을 추구한다. 이성간의 사랑, 주변의 인정, 성공의 기쁨, 재물이 주는 풍요로움과 안정감 등. 그러나 그 결과는 언제나 실망과 허탈뿐이다.

우리가 이런 것에 정신이 팔려 아버지의 사랑을 추구하지 않고 또 누리지 못한다면 우리는 잃어버린 두 아들의 비유에 나오는 미성숙한 둘째 아들처럼 멀리 집을 떠나 방황하는 채로 남겨지게 될 것이다.

육신의 아버지로 인한 상처

나는 교회 공동체에 있는 영혼들 가운데서도 '아버지'라는 단어에 힘겹게 반응하는 사람들이 많다는 것을 알게 되었다.

"하나님이 우리 아버지 같은 분이라면 나는 하나님이 필요 없습니다."

이런 이야기를 듣기도 했다. 이레교회에 사우가라는 여자 청년이 있다. 이 자매는 고아이자 소녀가장이다. 사우가는 신앙도 좋고 하나님을 깊이 사랑하는 자매이지만 교회의 남자 청년 리더들과의 관계가 원만하지 않을 뿐만 아니라 심지어 뒤틀리는 경우가 많았다.

하루는 하나님 아버지의 사랑에 관한 설교를 듣더니 나를 찾아왔다. 자신이 남자 어른들과의 관계에 문제가 있는 이유를 알았다는 것이다. 집 떠난 아버지를 향한 미움과 또 자신을 이용하려 하거나 심지어 성폭행하려 했던 외삼촌들에 대한 두려움과 분노 때문에 남자 어른들, 특히 권위적인 사람들에 대한 내면 깊은 분노가 숨어 있었음을 깨달았다는 것이다. 그 날 설교를 듣고 기도하며 많이 울었다는 사우가가 웃으며 이런 말을 덧붙였다.

"이제는 이길 수 있을 것 같아요. 이제 문제가 무엇인지 무엇을 놓고 기도해야 하는지 알았으니까요."

한번은 연예 활동 종사자들의 크리스천 모임에서 말씀을 전한 적이 있었다. 그때 하나님께서 특별히 가족의 문제를 다루기 원하신다는 마음을 주셔서 아버지의 마음을 주제로 설교했다. 육신의 부모님과의 관계에서 비롯된 상처에 대해 이야기하자 많은 지체들이 울었다. 연예계로 나오기 전, 특히 끼 많던 청소년 시절에 그들이 경험한 어른들의 무시와 거절, 외면, 무관심, 언어폭력에 대한 상처가 깊이 느껴졌다. 또한 그 상처가 그들의 성취욕과 인정받지 못하면 어떻게 하나 하는 불안감과 관계있음을 직감했다.

특히 몇몇 개그맨들의 경우 의외로 가정환경이 어렵거나 상처가 많다고 들었다. 육신의 아버지에 대한 상처 그리고 학교에서 경험한 따돌림이 그들을 왜곡시키는 경우가 있다고 한다. 그들이 자아내는 웃음이 실은 외부의 관심을 이끌어내어 자신의 존재감을 확인하는 수단이자 자신을 방어하는 방어벽이며 현실의 압박에서 벗어나고자 하는 탈출구가 아닐까 하는 생각이 들었다.

그러나 문제는 남들을 자신의 우스꽝스러운 겉모습으로 웃기려고 하는 한 자신의 내면적 고통을 해결할 수 없다는 점이다. 더 근원적인 해결책 없이는 우스꽝스러운 모습 뒤에 숨은 아픔의 문제를 다루기 어렵다. 그렇다면 이 부분은 어떻게 다루어져야 할까?

관계의 틈

내가 미국 유학 중 교제하던 교회 선배 한 분이 구역 모임에서 아버지와의 관계에 대해 이런 고백을 한 적이 있다. 그 선배는 이스라엘에서 공부를 했는데 그 시절 부부가 함께 공부를 했기 때문에 첫 아이를 키울 여건이 안 되었다. 결국 미국에 사시는 부모님께 1년간 아이를 맡길 수밖에 없었다고 한다.

크리스마스가 되어 미국에 떨어져 있는 아이에게 부모의 모습을 담은 비디오를 선물하기로 한 그가 비디오카메라 앞에 앉았다. 아이에게 사랑한다는 말을 하려고 했지만 이상하게 입이 떨어지지 않았다. 비디오를 끄고 다시 시도해보았지만 여전히 사랑한다는 말이 나오지 않았다.

원인이 무엇인지 묵상하는 가운데 그는 문득 자신의 아버지와의 관계가 원인이었음을 깨달았다. 그 선배는 어린 나이에 부모님을 따라 남미의 한 나라로 이민을 갔다. 그의 아버지는 거기서 사업에 번번이 실패했고 자신도 한동안 학업을 그만두고 생활 전선에 뛰어들어야 했던 시절이 있었다고 한다. 무능력한 아버지에 대한 실망감은 그 후로도 오랫동안 그의 마음에 남았고 아버지와의 관계에도 틈을 벌여놓았다.

이제 자신이 자식을 낳아 스스로 키울 수 없는 형편이 되어 부모님께 신세를 지는 상황을 맞았다. 아이에게 사랑한다고 말하려는 순간 마음속에 강한 부담을 느낀 이유는 그 비디오를 아버지가 같이 보시리라는 잠재적 자각 때문이었다. 아버지와의 관계가 해결되지 않은 상태에서 아버지 앞에서 자신의 아이에게 사랑한다고 말할 준비가 되지 않은 자신을 발견한 것이다.

선배는 이 문제를 안고 하나님께 나아갔다. 통곡이 뒤를 이었고 결국 그는 떼굴떼굴 구르며 밤을 지새웠다고 한다. 다음날이 되자 그는 아버지께 전화를 걸어서 사랑한다고 고백할 수 있었다. 그러고 나자 아이를 위한 선물로 준비한 비디오 촬영까지 무사히 마칠 수 있었다.

관계의 상처

아내와 나도 과거에 겪은 관계의 상처나 죄의 문제가 결혼생활에 영향을 미친다는 사실을 깨달았다. 특별히 가정 내에 누적된 왜곡은 자연스럽게 부부관계에 나타난다.

아내는 결혼 후 한동안은 내 의견을 잘 따르는 순종적인 태도를 견지했다. 그러나 아이가 태어나고 박사 과정에 입학하고 난 후부터 내 의견에 따라야 한다는 부담과 그러고 싶지 않다는 감정 사이에서 갈등했다. 그 무렵 한번은 내가 의견 충돌로 화가 난 상태에서 혼자 방으로 들어가버린 일이 있었다. 그때 아내는 아무 말도 못하고 무척 불안해 했다. 나는 그 점이 의아했다.

나중에 아내에게 왜 그랬는지 물었다. 서로 이야기를 나누고 곰곰이 생각한 끝에 우리 부부가 같이 내린 결론이 있다. 내가 화를 낼 때 아내가 친정아버지의 화난 모습과 그때 받은 스트레스를 떠올리며 순간 얼어버린다는 것이다. 장인어른은 엄격하고 자녀교육에 관한 한 타협이 없는 분이셨다. 그렇다보니 아버지가 화를 낼 때 어린 딸의 생각과 감정이 온통 얼어붙고 말았던 것이다. 어디론가 도망치고 싶은 충동이 들었다고 한다. 나와 갈등을 겪게 되면 그때의 감정이 떠오른다는 것이다.

아내는 후에 용기를 내어 장인어른께 그 이야기를 했다. 문제를 해결할 필요를 느꼈기 때문이다. 장인어른은 진심에서 우러나오는 미안함을 표현하시며 "그렇게 힘들었니? 나는 전혀 모르고 있었단다"라고 답하셨다. 실은 상처를 준 당사자는 상처를 주고 있다는 사실을 모를 수 있다. 이 일을 기점으로 아내가 나를 좀 더 자연스럽게 대하게 되었다.

서운한 마음

어느 날 아내가 내게 아버지의 전화를 받을 때와 교회 사람들의 전화를 받을 때 말하는 톤이 다르다는 점을 지적했다. 곰곰이 생각해보니 아내의 말이 맞았다. 나 역시 아버지에 대한 쓴뿌리가 있다는 사실을 잘 알고 있으면서 애써 외면해온 것이다.

나는 이 문제를 놓고 깊이 기도해야 할 필요를 느꼈다. 기도 중에 하나님께서 내가 아버지와의 관계에 어긋난 부분이 있음을 알려주셨다. 이 부분을 해결해야 한다는 것은 아는데 용기가 없었다. 그 무렵 기도하는 가운데 하나님께서 문득 내 어린 시절의 감정을 떠올리셨다. 그것은 아버지에 대한 서운함이었다.

내가 예닐곱 살쯤 되었을 때, 아버지께서 6개월간의 프랑스 연수를 마치고 귀국하셨다. 귀국 당일 우리 가족은 김포공항으로 아버지를 마중 나갔다. 아버지는 선물을 많이 사오셨는데 그중에서도 내 눈에 띄는 장난감 하나가 있었다. 건전지로 가는 자가용 장난감이었다. 스위치를 켜면 소리를 내며 자동으로 가는 자동차가 나는 너무 신기했다. 아버지께서 우리 남매를 위해 사오셨다고 하셨고 누나와 여동생은 그 장난감에 그다지 관심이 없었기에 나는 그것이 당연히 내 것이라고 생각했다.

아버지는 큰아버지이셨다. 그렇기 때문에 사촌동생들도 오랜만에 귀국한 아버지께 인사를 드리러 집으로 찾아왔다. 그러자 아버지께서 가져오신 선물을 꺼내어 하나씩 나누어주기 시작하셨다. 잠시 후 문제가 발생했다. 아버지가 사온 선물의 수와 사촌동생들의 수가 맞지 않았고 결국 선물이 모자란 것이다. 잠시 망설이시던 아버지가 천생 내 것으로 알고 있던 예의 그 자가용 장난감을 사촌동생 중 한 명에게 주시는 것이 아닌가.

이 일이 어린 나에게 오래 남았던 것 같다. 이미 잊혀진 사건이자 전혀 기억하지 못하고 있던 일을 성령님께서 기억나게 하신 것이다. 왜일까? 하나님께서는 비록 작은 것이라도 그것이 나의 정신과 마음에 영향을 끼친다면 그것을 해결해주기 원하셨던 것 같다. 하나님은 이렇게 가족간에 정리되지 않은 감정들을 회복시키기 원하셨다.

이 부분의 회복을 놓고 기도하다보니 이때의 나는 아버지의 입장을 생각해볼 수 있을 만큼 성숙하지 못했다. 그렇기 때문에 그것이 상처가 된 측면도 있다는 사실을 깨달았다. 언젠가 내가 집회에서 그 자가용 장난감 사건을 이야기하자, 아내 옆에 앉아 나의 말을 듣고 있던 동연이가 이렇게 말했다고 한다.

“우리 아빠도 나한테 그렇게 한 적 있는데….”

나도 기억하지 못하는 사이에 동연이에게 상처를 줄 수도 있다. 부모가 아무리 아이를 잘 키우려고 노력해도 아이는 상처를 받기도 한다.

물론 부모는 아이들에게 최상의 부모가 되도록 노력해야 하고 하나님께 끊임없이 그 지혜를 구해야 한다. 그리고 상처 입은 마음, 비틀어진 감정들을 해결해줄 의무가 있다. 하지만 이런 부모의 노력과 무관하게 아이들은 상처를 받는다. 아이들도 죄인이고 제한된 시각을 가지고 있으며 자신에 대해 집착하기 때문에 부모의 선한 노력에도 불구하고 부모와 주변으로부터 상처를 받는 것이다.

상처는 자기애를 먹고 산다

우리도 결국 어린아이와 다를 바 없다. 문제는 우리가 받는 많은 상처가 자신의 자아 문제 그리고 자신에 대한 집착에서 기인한다는 사실이다. 따라서 문제의 원인을 외부가 아닌 자기 내부에서 찾는 연습을 하는 것이 중요하다. 상처를 받고 또 그것을 오래오래 간직하는 배후에는 자기연민과 자기애(自己愛)가 있다. 문제는 상처를 받고 안 받고가 아니라 받은 상처를 어떻게 건강하게 하나님께 가지고 나아가 해결 받느냐에 있다. 정면으로 내 속에 있는 문제를 보기까지 우리는 끊임없이 상처를 받으며 살아간다.

어떤 이들에게는 내적 치유가 적절한 처방이 될 수 있다. 내적 치유는 내가 어떤 상처를 받았는지 진단하고 또 그 부분에 직면하며 적극적인 해결책을 찾는 과정을 도울 수 있다. 그러나 아내와 내가 경험한 바로는 그것만으로는 변화의 동력을 얻을 수 없었다. 성령의 도우심이 없이는 상처를 해결하기 위한 어떠한 조명도 받을 수 없다.

사실 내가 상처를 받게 된 원인은 환경적인 요인도 있겠지만 나의 내면에 특정한 자극을 상처로 받아들이는 메커니즘이 또 다른 원인이 되었다. 어떤 사람은 어려운 환경 속에서도 큰 굴절이나 내적 뒤틀림 없이 올바르게 성장한다. 그런가 하면 어떤 사람은 외적 환경이 다른 사람들보다 훨씬 나은 것 같은데도 많은 상처를 간직한 채 살아가기도 한다. 상처를 입고 힘들어 하는 것이 환경이나 외부 공격에 기인하는 부분도 있겠으나 상당 부분 근본적으로 스스로 원인을 제공하기도 한다.

지금 당장 우리의 환경을 바꿀 수 없는 경우는 비일비재하다. 세상은 악하고 우리는 수많은 영적 공격에 직면해 있다. 우리는 이리 가운데 양 같은 존재이기 때문에 아무리 스스로 자신을 보호한다 해도 그 공격을 피할 수는 없다. 이 싸움에서 우리 자신을 보호하는 방법은 성령의 도우심으로 나의 내면에서 상처를 유발하고 확대시키는 기제를 막는 것이다.

그런데 그러기 위해서는 역설적으로 우리가 죽어야 한다. 이것이 성경에서 제시하는 더 근본적인 방법이다. 내가 상처를 받는 이유는 나의 보호 본능이 매우 강하기 때문이다. 내가 나를 사랑하는 마음이 특정한 상황 가운데 나를 힘들게 한다. 그러나 힘들어 하는 내가 죽으면 문제도 같이 죽는다.

결국 상처는 내 죄와 밀접한 관계가 있다. 죄는 다름 아닌 자기애를 먹고 산다. 죄는 너무나 치명적이다. 죄는 우리의 영혼을 파멸시키고 영원한 죽음으로 이끈다. 죄는 우리의 자아와 합일되어 있다. 따라서 죄만 자신의 죄를 해결하는 유일한 해결책은 예수님과 함께 나도 십자가에 못 박히는 것이다.
어쩌면 주변을 향해 쌓고 있는 방어벽을 무너뜨리는 것이 더 적극적이고 근원적인 상처 해결책이 된다.
내가 나를 보호하려 하거나 보복하려는 노력을 포기하고
주님께서 나를 보호해주시고 위로해주시기를 바라는 것,
겉보기에 피동적으로 보이지만 이것이야말로 확실한 대책이다.

없애고 자신은 살릴 수 있는 방법이란 없다. 그런 방법이 있었다면 예수님께서 죽으실 필요조차 없었을 것이다. 우리가 우리의 상처 문제를 스스로 해결하려 해도 좌절하고 마는 이유는 나는 살고 문제만 제거하려는 인본적인 노력, 그 노력이 종국적으로 실패이기 때문이다.

네가 낫고자 하느냐?

자신의 죄를 해결하는 유일한 해결책은 예수님과 함께 나도 십자가에 못 박히는 것이다. 어쩌면 주변을 향해 쌓고 있는 방어벽을 무너뜨리는 것이 더 적극적이고 근원적인 상처 해결책이 된다. 내가 나를 보호하려 하거나 보복하려는 노력을 포기하고 주님께서 나를 보호해주시고 위로해주시기를 바라는 것, 겉보기에 피동적으로 보이지만 이것이야말로 확실한 대책이다.

예수님은 병자를 고치실 때 그의 영혼까지 함께 치유하기를 원하셨다. 그래서 병이 나았음을 선포하시기보다 "네 죄 사함을 받았느니라"라고 선포하셨다. 예수님은 베데스다 못가에서 38년 된 병자에게 물으셨다.

"네가 낫고자 하느냐?"(요 5:6)

이 장면에서 우리는 의아하다. 왜 병자에게 병 낫기를 원하느냐고 질문하실까? 병 낫기를 원하는 것이 병자의 당연한 심정이 아닌가? 그러나 병자가 병 낫기를 바라지 않는 경우를 실제로 보기도 한다.

오래된 병자의 경우 병이 주는 자기연민을 사랑하거나 병으로 기대할 수 있는 동정심이나 기타 반대급부를 즐기며 병 낫기를 바라지 않는 현상도 생길 수 있다. 처음에는 상처가 불편하고 아프니까 마음에 불평하기 시작한다. 그러나 시간이 흐르면서 상처가 주는 자기연민을 즐기게 된다. 죄와 마찬가지로 마음의 상처는 중독성이 있다. 특히 마음의 병인 경우 우리는 상처가 치유되기를 바라기보다 상처를 되씹는 경우가 많다. 지금 상황에 안주한 채 변화하지 않으려고 한다. 치유와 회복의 기회가 찾아오더라도 그것을 잡으려고 하지 않는다.

나는 선교지에서 다양한 상처에 직면했고 또 치유를 돕는 과정을 통해 상처를 받았을 때 그 상처를 해결하는 방법에 대해 배웠다.

첫째, 자신이 상처를 받았다는 사실과 또 상처받을 수밖에 없는 약한 존재임을 인정해야 한다.

둘째, 내 안의 어떤 문제가 상처로 아프게 반응하는지 볼 수 있는 눈을 달라고 성령님께 구한다.

셋째, 우리의 연약함을 아시고 또 상처를 치유해주기를 원하시는 하나님을 신뢰하며 이 문제를 가지고 하나님께 나아간다.

넷째, 자기연민의 감정과 자기자아에 대한 집착을 온전히 십자가에 못 박기를 간구한다.

다섯째, 이 문제를 해결하고 관계된 자들을 용서할 수 있는 영적 능력을 달라고 구한다. 성경은 적극적인 용서가 가장 좋은 해결책이라고 가르친다.

5장 내 노력으로는 내려놓을 수 없다

아빠에게 오렴

"이에 스스로 돌이켜 가로되 내 아버지에게는 양식이 풍족한 품꾼이 얼마나 많은고 나는 여기서 주려 죽는구나 내가 일어나 아버지께 가서 이르기를 아버지여 내가 하늘과 아버지께 죄를 얻었사오니 지금부터는 아버지의 아들이라 일컬음을 감당치 못하겠나이다 나를 품꾼의 하나로 보소서 하리라 하고 이에 일어나서 아버지께로 돌아가니라 아직도 상거가 먼데 아버지가 저를 보고 측은히 여겨 달려가 목을 안고 입을 맞추니"(눅 15:17-20).

아버지를 떠난 둘째 아들은 결국 가진 것을 다 잃어버리고 곤경에 처한다. 하나님의 사랑을 거부하고 다른 것을 추구한 이들의 결국이 무엇인지 묘사한 것이다. 재물을 원했던 사람은 재물 때문에 곤경을 받는다.

그러나 우리 하나님은 불같은 하나님의 사랑하심으로 자기사랑에 빠져서 아버지를 떠난 아들에게 다시 한 번 기회를 주시기 위해 그의 삶을 곤경으로 몰아넣으신다. 자기자아에 대한 집착은 매우 강하기 때문에 하나님의 이런 연단의 과정 없이는 빠져나올 수 없다.

돼지우리로 들어가게 된 둘째 아들이 아버지 집의 기억을 떠올렸을 때 사탄은 끊임없이 그의 마음에 속삭였을 것이다. 사탄은 본래 속이고 비방하는 자이다. 그는 둘째 아들의 마음을 거짓으로 가득 채우며 그가 아버지의 사랑을 의심하도록 만든다. 아울러 하나님께서 의로운 사람만을 받으신다고 고소한다. 그런 다음 그는 다시 하늘의 아버지께서 그의 죄를 징벌하시며 또 죄로 인해 그를 거들떠보지 않으신다고 믿도록 꾄다.

미국 유학 시절 하루는 집에 와보니 동연이가 침대 구석에 쭈그리고 앉아 있었다. 동연이의 기색을 살피니 내 얼굴을 피해 자꾸 담요로 자기 얼굴을 가리려고 하는 것이 아닌가. 나는 동연이가 기저귀에 변을 봤음을 직감했다. 미국에서는 아이들이 대소변을 가리게 되어 기저귀를 차지 않게 되는 나이가 한국보다 많이 늦다. 그 무렵 동연이는 기저귀에 변을 보는 일을 수치스럽게 느끼기 시작했다.

나는 시치미를 떼고 동연이에게 물었다.

"동연아, 뭐하고 있니?"

"아무것도 아니에요. 그냥 내버려두세요."

"지금 냄새가 나네. 혹시 너 응가 한 것 아니야?"

"몰라요…."

동연이는 담요를 뒤집어쓰고 침대 구석으로 더욱 몸을 숨겼다.

"아빠에게 오렴. 아빠가 기저귀 갈아줄게."

동연이는 부끄러워하며 침대에서 나오려 하지 않았다. 이때 동연이가 할 수 있는 최선은 아빠에게 나와 더러워진 기저귀를 보이며 깨끗하게 해줄 것을 요청하는 것이다. 그렇지만 어린 동연이의 수치심이 그것을 가로막았다. 아이가 자존심이 생기는 나이가 되더니 부끄러운 것을 아빠에게도 보이고 싶어 하지 않았다. 동연이에게는 아빠가 자신의 변이 냄새난다고 싫어하며 기저귀에 똥 싼 자기를 무시할 것이라는 오해가 있었다. 기정사실은 동연이 스스로 자신의 문제를 해결할 능력이 없다는 것이다.

나는 동연이에게 말했다.

"동연아, 아빠는 네 똥이 더럽지 않아. 넌 아빠 아들이잖아. 아빠한테 맡겨야 아빠가 치워줄 수 있지."

나는 동연이에게 다가가 싫다고 하는 아이를 안고 화장실로 갔다. 그런 다음 기저귀를 벗기고 따뜻한 물로 몸을 씻어주면서 물었다.

"어때, 기분 좋지?"

동연이는 그제야 배시시 웃으며 끄덕였다.

하나님의 넘치는 긍휼하심을 입은 자의 사랑

죄와 상처가 있으면 우리는 관계를 회피한다. 죄를 지은 다음 하나님의 낯을 피하여 숨은 아담과 하와처럼 말이다. 우리의 자존심은 우리의 죄를 인정하려 하지도 않고 또 그것을 해결받기 위해 하나님 앞에 나아가지도 못하게 만든다.

그렇지만 아들이 믿어야 할 것이 있다. 내 모습 이대로 받으시는 하나님 아버지의 사랑이다. 크게 팔 벌리고 안아주시기 위해 뛰어나와 기다리시는 하나님의 조건 없는 사랑, 아들의 모든 필요를 채워주시는 이 사랑을 반드시 믿어야 한다. 하나님께서는 "주세요, 내 것을 달란 말이에요"라고 말하는 태도에서 "아버지, 저를 변화시켜주세요. 아버지의 품꾼 중 하나가 되게 해주세요"라고 말하는 상태로 우리를 옮기기 원하신다. 그것은 변화를 일으키는 사랑이자 결코 무너지지 않는 사랑이다.

둘째 아들이 다시 아버지를 만났을 때 그는 분명히 변화되었다. 그는 아버지의 사랑과 아버지의 집이 그의 삶에서 가장 중요하다는 사실을 인정했다. 그는 아버지의 품보다 더 사랑하는 것이 있어서 아버지를 떠나간 것이 명백한 잘못이라는 사실을 깨달았다. 둘째 아들은 아버지에게 고백한다.

"아버지께 죄를 얻었사오니…"(21절).

그의 태도가 바뀌었다. 그는 겸손히 낮아져서, 자기의 죄를 인정하고 용서를 구했다. 이는 아버지가 요구해서가 아니다. 자발적으로 그런 마음이 든 것이다.

"죄를 지었습니다. 아버지, 저를 변화시켜주세요"라고 말하는 아들에게 아버지는 이렇게 말했을 것이다.

"나는 이미 너를 용서했단다."

내가 동연이가 싼 똥을 더럽게 여기지 않고 치우는 것같이 하나님도 허물 가득한 우리를 더럽게 여기지 않고 씻어주신다. 동연이가 더러운 기저귀를 보이며 나에게 몸을 의탁할 때 내가 기뻐하듯이 하나님도 같은 마음으로 우리의 허물을 다루신다. 예수 그리스도의 십자가를 통해 나타난 하나님의 골고다의 그 사랑이 그것을 증명하고도 남는다. 그 사랑을 경험할 때 비로소 우리는 세상 그 어떤 것도 우리의 관심을 하나님의 사랑으로부터 돌릴 수 없음을 깨닫는다.

어찌 보면 우리가 내려놓을 때만이 하나님으로 채워지는 것이라기보다 하나님의 긍휼하심으로 채워질 때 쉽게 내려놓을 수 있는 것이다. 이런 아버지의 긍휼히 여기심을 통해 우리는 하나님의 눈으로 우리를 바라볼 수 있다. 우리의 가치를 아시는 하나님을 통해 비로소 우리 자신의 존귀함을 새롭게 인식하게 된다. 이것이 진정한 자기사랑과 자존감의 근원이다.

내가 하나님 없이 스스로 높아지려 하고 스스로 행복해지려 하거나 하나님을 통해 내 근본적인 욕심을 채우려 하는 것은 잘못된 자기사랑이다. 내가 강조해온 "자기애를 버려야 한다"라는 것은 바로 후자의 잘못된 자기사랑을 두고 하는 말이다.

이 두 가지는 근원적으로 다른 것이다. 스스로 자신을 높이고 인정받으려 하는 노력은 우리의 영혼을 피폐하게 한다. 그러나 하나님의 긍휼하심에 근거하여 자신을 하나님의 관점으로 바라보고 주님 앞에 존귀한 자임을 확인하고 자신을 주님의 방식으로 사랑하는 것은 우리의 영혼을 살찌운다.

변화를 이끄시는 성령님

우리는 흔히 스스로 자신을 변화시키려고 애쓰다가 지칠 때가 있다. 분명한 것은 우리는 우리 자신을 변화시킬 힘이 없다는 사실이다. 회개도 내가 하는 회개는 나를 변화시킬 수 없다. 하나님께서 시키시는 회개를 통해서만이 우리는 진정한 변화를 통과할 수 있다. 이 변화의 시작은 우리가 우리 힘으로는 변화를 가져올 수 없다는 사실을 겸손히 인정하는 데서부터 출발한다.

내 자아가 주님께 항복하고 십자가에 나의 의지가 못 박히고 나서부터 성령님께서 우리 삶의 주도권을 쥐시고 변화를 이끄신다. 그 후부터 우리가 이룰 수 없었던 변화들이 우리의 삶 가운데 일어나기 시작한다.

몽골 교회 지도자들을 복음으로 재교육시키는 학교의 책임자인 목사님이 어느 날 훈련생으로부터 질문을 받았다.

"어떻게 해야 내 자신이 변화할 수 있겠습니까? 정말 괴롭습니다. 아무리 기도하고 금식하고 성경공부하고 노력해도 이 부분에 대한 해답을 얻지 못하겠습니다."

이 분은 한때 불교에도 정통했던 분으로 차라리 불교의 참선 쪽이 훨씬 쉽게 다가왔다고 했다. 그는 그저 하나님께만 맡긴다는 사실을 자신의 의지로 용납하지 못했다. 목사님은 그에게 이렇게 답했다.

"아무것도 하려고 하지 마십시오."

그 분은 의아해 하며 신뢰하지 못하겠다는 표정을 짓더란다. 그가 이 말의 뜻을 이해하는 데 꼬박 1년이라는 세월이 걸렸다. 하나님의 주권을 인정하기에 우리는 본질적으로 너무나 자아가 강렬한 교만한 존재들이다. 우리는 스스로 구원을 이루려고 노력할 때가 많다. 그러나 우리 자아의 교만이 꺾이지 않은 상태라면 우리의 신앙생활에 나타나는 선행들이 자칫 자기의를 쌓아가는 쪽으로 작용하기 쉽다. 이런 상태로는 40일 새벽기도 또는 40일 금식기도를 한다고 해도 그것이 우리의 영적 성장에 유익이 되기보다 해악을 끼치는 쪽으로 작용할 수 있다.

십자가로만 구원을 받는다는 것, 그리고 십자가를 믿음으로만 구원받는다고 믿는 것은 실은 인간의 눈으로 볼 때 어리석어 보이고 불가해(不可解)한 것이다. 차라리 자기 힘과 행위로 구원받는다고 믿는 것이 훨씬 쉬울 것 같다. 기독교를 제외한 다른 모든 종교는 믿음보다 행위를 강조한다. 그런 점에서 지극히 인본적이다.

이슬람교는 선행과 율법을 지키는 행위를 통해 천국에 들어갈 수 있다고 가르친다. 불교는 욕망을 끊으려는 자신의 극한의 노력과 참선을 통해 해탈에 이를 수 있다고 본다. 선불교도 계율에서 참선으로 강조점이 바뀌었을 뿐 인간의 노력을 강조하는 데는 그 궤를 같이 한다. 샤머니즘은 신을 달래고 구슬리는 행위를 통해 복을 얻어낼 수 있다고 믿는다. 라마 불교도 공덕을 쌓는 절차를 간소화했을 뿐 공덕을 쌓아야 지선(至善)의 경지에 이른다는 데는 변함이 없다.

라마 불교의 관습에 따라 높은 고도에 위치한 성지 라싸의 수도원까지 절을 하면서 가는 사람들이 있다. 그냥 걸어가도 어려운 그 길을 절을 하며 올라가는 것이다. 인간 수행의 극한의 모습을 보여준다. 인간의 본성으로는 차라리 이런 고행을 통해 구원을 얻을 수 있다는 가르침을 믿는 것이 그저 믿음으로만 구원받는다는 진리를 믿는 것보다 훨씬 쉽게 다가온다.

이슬람에서는 세계 각지의 무슬림들이 메카까지 순례한다. 라마단 기간에는 낮 기간 동안 단식을 하는데 심지어 침까지 삼키지 않으려는 수행자들도 있다. 신을 위해서라면 목숨을 아끼지 않는 자살 특공대까지 있다. 이런 어려운 일을 수행함으로써 구원을 받을 수 있다고 믿는 것이 그저 십자가를 믿고 구원에 이른다는 사실을 믿는 것보다 훨씬 이해하기 쉬울는지 모른다.

이런 종교 행위의 특징은 자기의를 극대화한다는 데 있다. 예수님 시대의 바리새인들이 빠졌던 함정이다. 결국 인간의 행위로 의를 쌓으려 하는 노력은 지극히 인본적인 것이다. 이 과정에는 하나님께서 개입하실 영역이 없다. 문제는 인간이 스스로 노력해서 선해질 수 없는 죄 된 존재라는 데 있다.

기독교인으로서 우리는 이 십자가 복음의 가치를 깊이 체험하는 삶을 살아야 한다. 그런데도 한국 교회의 강단에서는 복음적 접근보다 윤리적인 접근을 더 강조하는 경우가 많다. 하지만 "이렇게 해야 한다"라는 윤리적인 강조만으로는 우리의 죄 문제가 근본적으로 해결될 수 없고 그것으로는 온전한 영적 변화가 일어날 수 없다.

얼마 전 신문에서 테레사 수녀가 때로는 하나님의 존재 여부에 대해 고민했으며 불신의 상태에 빠진 적이 있었음을 고백했다는 기사를 접한 적이 있다. 충분히 가능한 이야기이다. 교회를 다니거나 교회의 지도자로 있으면서도 하나님과의 깊은 교제가 없고 또 하나님을 의지하지 않고도 착한 일을 할 수 있는 예는 흔히 볼 수 있다.

내 노력으로는 도무지 내려놓을 수 없다

우리 주변에 선행을 많이 하는 사람들 중에는 성령의 도우심으로 일하기보다 자신의 선함을 가지고 일하는 사람들도 있다. 하나님을 믿지 않아도 슈바이처 박사처럼 선행을 하는 사람들도 있다. 문제는 하나님의 의(義)가 아닌 사람의 의로 이룬 일은 하나님께서 기억하지 않으신다는 것이다. 우리가 생각하기에 옳은 것과 주님의 의는 다르다. 내가 선해서 하는 일을 주께서 기억하지 않으실 수 있다. 주님으로부터 난 것만이 선하다.

기독교에서 설명하는 구원은 인간의 노력으로 얻어지는 것이 아니다. 우리가 의로워지는 것은 우리의 힘으로는 불가능하되 하나님의 의롭다 인정하심을 통해서만 가능하다. 성령님이 우리에게 임하시면, 우리 안에서 착한 일을 시작하시면, 율법의 모든 요구를 이루고도 남을 선한 모습으로 우리를 빚으실 것이다.

복음적인 접근과 윤리적인 접근의 차이를 구체적인 예를 통해 설명해보면 다음과 같다. 한 자매가 십자가에 자신의 자아를 못 박아야 한다는 내용의 설교를 들었다고 하자. 그 말씀을 듣던 중 문득 자신이 교회나 가정에서 관계의 문제 때문에 힘들었던 사실을 떠올린다. 그 부분에 대해 지속적으로 자책하게 되고 그 원인이 바로 자기 내면의 약한 부분과 관련이 있다는 사실을 깨닫는다. 그래서 그 약한 부분을 지워버리고 아울러 그 힘들었던 일을 잊어버린 다음 자유하기로 결심한다. 그러나 그러면 그럴수록 그 사람과의 문제는 더욱 악화되었고 내면의 어려움도 해결되지 않았다. 성경 읽기, 신앙서적 독서, 금식기도, 성경공부, 부흥회 등에 의지해보았지만 그 부담감을 떨치기는 어려웠다. 결국 '나는 어쩔 수 없구나' 라는 생각에 사로잡힌다. 더 이상 이 부분에 대해 부담을 갖지 않고 이 문제를 무시하고 그냥 덮어두려고 했지만 마음 깊숙한 곳에서 여전히 자책감과 자괴감이 소리쳤다.

또 다른 예가 있다. 자신의 노력으로는 문제를 해결할 수 없다는 사실을 인정하고 하나님 앞에 자신이 해결할 수 없는 그 문제를 가지고 나아가 기도하는 것이다. 절박한 마음으로 울다보면 성령님의 위로가 임한다. 그리고 주님이 주시는 말씀을 붙잡게 된다.

"많이 힘들지? 이 문제를 내게 맡기렴. 내가 네 안에게 이미 착한 일을 시작했단다. 너를 계속해서 변화시켜 나갈 거야. 나를 신뢰하고 믿음 안에서 자유하렴."

이 말씀 가운데 임하는 위로와 감동의 눈물을 훔칠 때, 마음이 새로워졌음을 느낀다. 자신은 아무것도 한 것이 없는데 달라져 있는 자신의 내면을 보게 된다. 담대함과 확신 가운데 하나님께서 자신에게 약속하신 것들을 이루시리라 믿게 되는 것이다.

《내려놓음》을 읽고 '나는 왜 이 모양일까? 나는 정말 어쩔 수 없구나'라는 마음으로 책장을 덮는다면 책의 교훈을 잘못 받아들인 것이다. 이 책이 주는 도전은 "당신은 왜 이렇게 내려놓지 못하는가?"라고 질타하는 데 있지 않다. 그렇다면 적용이 잘못되었다. 내려놓지 못하는 우리의 모습을 발견하고 성령님께 간구하고 탄식했을 때 주님이 주시는 변화를 덧입는 것이야말로 이 책에서 말하고자 한 진정한 변화이다.

윤리적인 설교로는 변화되지 않는다. 오직 성령에 의지하여 그분께서 주시는 찔림에 마음으로 반응할 때, 성령님께서 자신의 미쁘신 뜻 가운데 우리를 변화시켜주신다. 즉, 성령님이 열쇠이다. 성령님의 지속적인 기름부음은 우리가 좀 더 쉽게 내려놓을 수 있도록 돕는다. 우리에게 부과된 윤리적인 모든 책임을 감당할 수 있고, 죄를 미워하게 되고, 하나님께서 기뻐하시는 일을 하는 것이 우리의 유일한 기쁨이 될 것이다.

내 안에 계시는 한 분 아버지

왜 당신의 삶이 그렇게 힘든가? 왜 그렇게 자기자신과 화해할 수 없는가? 하나님이 주인이 되시지 않았기 때문이다. 하나님이 주인이라고 말하면서 어느새 다른 것을 우리의 삶 가운데 올려놓고 살아가기 때문이다.

우리 안에 아직도 울고 있는 어린아이가 있다. 그 어린아이는 하나님이 주시는 사랑으로만 만족할 수 있는데 우리는 자꾸 다른 것으로 채

너의 자아의 문을 부숴버릴 수 있겠니?

내가 네 안에 들어갈 자리를 마련해주지 않겠니?

나 하나만으로 만족할 수 없겠니?

우려고 한다. 다른 사람의 사랑과 인정으로 채우려고 한다. 우리는 하나님을 믿는다고 하면서 어느새 하나님의 거룩과 성결을 추구하기보다는 세상 성공에 목을 맨다. 하나님이 이렇게 물으신다.

"너의 자아의 문을 부숴버릴 수 있겠니? 내가 네 안에 들어갈 자리를 마련해주지 않겠니? 나 하나만으로 만족할 수 없겠니?"

우리의 삶 가운데 이것만은 건드리지 말아달라고 막는 영역들이 무엇인지 헤아려보자. 예수님의 발치에까지 가지고 나갔지만 더는 깨뜨리지 못한 채 여전히 두 손에 꽉 틀어쥐고 있지는 않은가?

"하나님, 저는 깨어지기 싫습니다. 상처받기 싫습니다. 내 체면도 좀 생각해주세요. 나도 영광을 같이 받고 싶습니다. 나도 적당히 같이 누리면 안 될까요?"

그러나 하나님은 단호히 말씀하신다.

"네 안에 네가 너무 크면 내가 들어갈 수 없단다. 나는 너에게 가장 좋은 것을 주고 싶구나. 그것은 바로 나 자신이다. 그러나 네 안에 네가 너무 커서 내가 들어갈 자리가 없구나. 네 것을 달라는 이유는 네 것을 빼앗기 위해서가 아니란다. 너를 온전케 하려면 네가 잡고 있는 그것을 깨뜨려야 한단다. 네게 가장 좋은 것을 주고 싶은데 네가 그것을 끝까지 잡고 있으니 줄 수 없는 거란다."

우리 안에 혹시 하나님조차 들어갈 수 없는 영역이 있는가? 이 영역 안으로 주님을 초청하라. 주님이 내 의식 깊숙한 곳까지 들어오셔서 나의 주관자가 되어주셔야 한다.

이제 당신이 해야 할 일이 있다. 당신의 육신의 아버지와의 관계를 돌이켜보는 일이다. 나에게 상처를 준 아버지의 잘못을 용서할 수 있는지 자신에게 물어보라. 기도하는 가운데 아버지를 떠올리고 아버지를 안으라. 그리고 고백하기 바란다.

"사랑받고 싶었어요."

그런 다음 하나님을 연상해보라. 당신을 향해 팔 벌리고 다가오시는 하나님께 안길 수 있는가? 그분께 물어보라.

"나를 사랑하세요?"

주님께서 대답하실 것이다.

"너를 죽기까지 사랑한다."

그제야 당신은 고백할 수 있을 것이다.

"하나님, 내게는 당신 한 분뿐입니다. 이제 당신 한 분만으로 만족할 수 있습니다."

2부

자기의自己義 내려놓기

이런 종교 행위의 특징은 자기의를 극대화한다는 데 있다. 예수님 시대의 바리새인들이 빠졌던 함정이다. 결국 인간의 행위로 의를 쌓으려 하는 노력은 지극히 인본적인 것이다. 이 과정에는 하나님께서 개입하실 영역이 없다. 문제는 인간이 스스로 노력해서 선해질 수 없는 죄 된 존재라는 데 있다.

어찌 보면 우리가 내려놓을 때만이 하나님으로 채워지는 것이라기보다 하나님의 긍휼하심으로 채워질 때 쉽게 내려놓을 수 있는 것이다. 이런 아버지의 긍휼히 여기심을 통해 우리는 하나님의 눈으로 우리를 바라볼 수 있다. 우리의 가치를 아시는 하나님을 통해 비로소 우리 자신의 존귀함을 새롭게 인식하게 된다. 이것이 진정한 자기사랑과 자존감의 근원이다.

6장 하나님을 의지한다면 화낼 수도 원망할 수도 없다

분노하는 큰아들

잃어버린 탕자들 중 큰아들은 계속 아버지의 집에 머물러 있었다. 그래서 그가 잃어버린 존재였다는 사실이 쉽게 드러나지 않는다. 그러나 이 비유를 자세히 읽어보면 그 또한 잃어버린 아들이라는 사실을 깨달을 수 있다. 왜냐하면 큰아들 역시 아버지의 마음을 잃어버렸기 때문이다.

둘째 아들이 집을 나간 이유는 그의 인생에 아버지의 사랑보다 더 중요한 것이 있었기 때문이었다. 큰아들의 문제는 무엇인가? 비록 그가 아버지의 집에 남아 있었지만 그 역시 아버지의 진심을 이해하지 못했다는 데 있다. 아버지의 마음을 잃어버린 것이다.

작은아들이 굶주린 배를 안고 집으로 돌아왔다. 큰아들은 배를 주리지는 않았지만 굶주린 마음을 가지고 있었다. 두 아들 모두 길을 잃었다. 한 아들은 육신이 굶주린 채, 또 다른 아들은 마음이 굶주린 상태로. 두 사람 모두 아버지의 사랑이 필요했다. 두 사람 모두 아버지께로 돌아와야 했다.

우리는 때로 집 나간 둘째 아들의 모습으로, 때로 집에 남은 첫째 아들의 모습으로 하나님 앞에 번갈아가며 서게 된다. 이 두 가지 모습이 우리 안에 공존하고 있으며 이 모습이 하나님 아버지로부터 우리를 멀어지게 한다. 그러면 특별히 큰아들의 어떤 모습이 우리가 하나님 앞에 온전히 서는 데 장애가 되는가?

어찌하여 분노하는가?

"저가 노하여 들어가기를 즐겨 아니 하거늘"(눅 15:28).

큰아들에게는 아버지에 대한 분노와 동생에 대한 분노가 있었다. 그러면 이 분노는 어디에서부터 시작된 것인가? 이 질문에 답하려면 먼저 우리가 가장 많이 분노하는 현장이 어디인지 이해하는 것이 도움이 된다.

크리스천으로서 우리가 가장 많이 분노하는 장소는 가정과 교회이다. 그런데 이곳은 하나님께서 하나님나라의 모형으로 허락하신 곳이기 때문에 사탄의 영적 공격이 가장 집중된 곳이기도 하다. 더욱이 이곳은 우리가 마음을 가장 많이 쏟는, 우리 마음의 안식처이다. 동시에 이곳은 내 마음의 모난 부분이 드러나는 곳이며 내가 감추고 싶은 부분들이 숨김없이 드러나는 곳이기도 하다.

미국의 부시 대통령을 싫어하는 사람들이 있을지 모르겠다. 하지만 그가 우리를 직접적으로 힘들게 하지는 않는다. 일본 수상의 망언이 아무리 우리를 분개하게 만들더라도 우리가 가족의 말 한마디에 상처입고 화를 내는 것보다 심하지는 않을 것이다. 우리가 어떤 정치인이나 유명인의 말, 또는 행동에 잠시 화를 낼 수는 있다. 하지만 그것이 우리 마음 가운데 직접적이고 개인적인 상처로 남지는 않는다.

우리를 힘들게 하는 사람들은 대부분 가정 그리고 교회 안에 우리와 늘 가까이 있는 사람들이다. 우리에게 직접적이고 치명적인 마음의 상처를 주는 사람은 우리가 가깝다고 느끼는 가정, 교회, 직장 그리고 학교 안에 있다. 우리가 가장 심각하게 화를 낼 때가 있는데 그 역시 가까운 그들로부터 인정받지 못한다고 느낄 때가 아닌가?

우리가 형제와 아버지에 대해 분노하게 되는 순간은 언제인가? 우리가 믿음의 공동체 내에서 분노하는 첫 번째 이유는 자신이 숨기고 싶어 한 자신의 모습이 드러날 때이다. 우리 안에는 두 가지 모습이 공존한다. 하나는 밖으로 드러내고 싶은 모습이며, 다른 하나는 밖으로 내보이고 싶지 않은 모습이다. 전자의 '나'는 남에게 인정받고 싶고 보여주고 싶은 대외용 자신이며, 후자의 '나'는 남에게 숨기고 싶은 내면용 자신이다. 나 자신은 그 둘을 다 알고 그 둘의 차이도 잘 안다. 그런데 숨기고 싶은 내 안의 나의 모습은 스스로 거부하고 싶다. 그래서 밖으로 드러나지 않도록 꾹꾹 눌러버린다. 그렇지만 그 모습은 숨기려 할수록 불쑥불쑥 튀어 나온다.

우리가 특정 사람과의 관계에 어려움을 느끼는 이유는 남들에게 보이고 싶지 않은 내 안의 모습과 관계가 있다. 누군가 자신이 인정하기 어려운 부분을 지적하면 그때마다 우리는 좌절하거나 분노하게 된다. 따라서 이 부분에 하나님의 사랑이 비추어지기 전까지, 우리의 이런 약한 부분들이 우리를 힘들게 한다. 스스로 자신이 없고 만족스럽지 않고 자랑스럽게 여기지 못하기 때문이다.

숨기고 싶은 모습이 진짜

가정에서 가족간에 이런 부분을 건드렸다가 불같은 분노를 초래해 본 경험이 있는가? 부모가 자식에게 가장 실망하고 분노할 때가 언제인가? 부모 자신이 숨기고 싶고 잘라내고 싶었던 자신의 모자란 모습을 자식에게서 봤을 때이다. 남편이나 아내가 미워 보일 때도 바깥에서 보이지 말아야 할 모습을 보이고 다닐 때가 아닌가?

한국은 유교 전통 속에서 체면 문화가 발달하여 은연중에 겉과 속이 다른 삶에 대한 압력이 존재한다. 남들에게 어떻게 보이는가 하는 점이 지대한 관심사이기 때문에 조금 전까지 부부가 차 안에서 심하게 다퉜더라도 차 밖을 나서는 순간 아무 일도 없는 것처럼 위장하는 일에 우리는 매우 익숙하다.

교회생활을 하다보면 가까이하기에 힘든 사람이 있다. 원인은 그 사람이 자신이 내보이고 싶어 하지 않는 어떤 모습을 자극하기 때문이다. 그 사람 옆에 있으면 왠지 내가 초라해 보이고 실패한 것 같은 느낌이 들도록 만들기 때문이다. 그 사람 곁에 있으면 나의 연약한 부분이 드러나는 것 같아 그 사람과 가까이하기를 꺼리게 된다.

다른 사람들에게 보이고 싶은 모습에는 어떤 것이 있는가?

한 자매가 토요일에 마음에 쏙 드는 예쁜 옷을 사서 주일 아침 일찍이 일어나 옷을 차려입고 예쁘게 화장을 하고 집을 나선다. 일찍 교회에 나와 바닥에 떨어진 휴지를 줍고 있는데 때마침 아는 분이 지나가며 인사라도 건네면 '저 사람이 나를 알고 내가 착한 일 하는 걸 보았군!' 하고 씩 웃으며 "어머! 안녕하세요?" 라고 힘있게 답한다. 미니 홈페이지를 방문해보면 잘 나온 사진들이 줄줄이 전시되어 있다. 남들에게 보이고 싶은 내 모습이다. 그곳에 전시된 나의 자아는 외부용이다.

한편, 들키고 싶지 않은 내부용 자아가 확연히 그 모습을 드러낼 때도 있다. 늦은 밤 피곤한 몸을 뉘려고 할 때 마침 전화가 왔다. 시어머니의 전화다.

"얘! 남편 밥은 잘해 먹이고 있니?"

순간 기분이 확 상한다.

"얘, 나 용돈 좀 올려줘라. 요즘 네 남편 돈 잘 벌잖아?"

이 말에 갑자기 내 안에 감추어져 있던 시어머니를 향한 분노가 치밀어 오른다. 얼굴이 일그러진다. 이럴 때 나의 모습은, 나와 가깝고 또 내가 잘 보이고 싶은 그룹에게 절대 보이고 싶지 않은 모습이다.

둘 중 어느 것이 진짜 모습일까? 사실 숨기고 싶은 모습이 자신의 진짜 모습이다. 우리가 은혜를 받아도 그 은혜가 표면에 그치고 그 사람의 내면 깊은 곳까지 미치지 못한다면 우리가 하나님을 믿고 아무리 기도를 열심히 하더라도 여전히 짓눌려 있는 내부의 어린아이가 크게 소리칠 것이다. 우리의 영적 성장은 내보이고 싶지 않은 자신의 모습과 얼마나 화해하고 있는가와 관계가 깊다.

분노나 원한은 불신앙의 증거이다

몽골국제대학교 학생들의 비자 발급과 관련하여 겪은 일이다. 한번은 몽골국제대학교 졸업생들 가운데 한국의 대학원에 선발된 두 명의 학생 비자가 기각된 일이 있었다. 비자 인터뷰를 해보니 한국어 실력이 부족한데도 그 학생들의 학교 입학 허가서에는 한국어 실력이 있다고 표기되어 있다는 것이 비자 기각의 이유였다. 그러나 이 정도의 일로 오랫동안 유학을 준비해온 학생들의 앞길을 막는다는 것이 나로서는 납득하기 어려웠다.

나는 대사관에 전화했다. 그런데 전화를 받은 담당자가 설명을 요구하는 나의 질문에 언성을 높이는 태도로 일관하는 것이 아닌가. 나는 그분 안에 있는 벽을 느꼈다. 여러 정황으로 보건대 총장님에게 마음이 상한 것 같다는 몇몇 교직원의 이야기도 듣게 되었다.

대사관 측에서는 한국의 해당 대학의 학장님이 직접 연락하도록 권했고 그대로 했는데도 비자가 거부되었다. 일부러 학교를 골탕 먹이려는 속셈이 아닌가 하는 생각이 들자 분한 마음이 들기 시작했다. 앞으로도 계속 이렇게 힘겨우리라 생각하니 몹시 마음이 상했다.

나는 이 문제를 놓고 하나님께 기도했다. 심지어 나는 "하나님, 그 사람을 몽골이 아닌 다른 곳으로 보내주세요. 그 사람이 있으면 학생들 앞길에 지장이 많아요"라고 기도했다. 그런데 그 후 신기하게도 그 담당자와 가는 곳곳마다 마주쳤다. 심지어 한인교회를 방문했다가 예배 중에 마주치기도 했다. 그 분이 교회에 다닌다는 사실에 나는 더욱 혼란스러웠다.

그 사람 쪽으로 고개도 돌리기 싫어하는 나를 보며 '이러면 안 되는데' 하고 생각했지만 나도 내 마음을 어쩔 수 없었다. 식사 시간이 끝나고 대사관 직원분들과 악수를 나누는 자리에서 나는 그 분에게 총장님과 함께 찾아가 뵙겠다고 말했다가 단번에 거절당했다. 이 상황을 지켜본 아내 그리고 친분이 있는 장로님께 나는 이 일로 상한 나의 마음을 토로했다.

그러자 아내는 내가 평소와 달리 무척 완고하고 강하게 집착하는 것 같다며 그런 자세로는 문제를 해결할 수 없어 보인다고 따끔하게 충고해 주었다. 장로님도 설령 그 분이 유감을 가지고 일을 처리했더라도 자신의 권한과 법이 허용하는 범위 내에서 일을 처리했을 텐데도, 내가 이 사건을 지극히 개인적이고 감정적으로 대하는 것처럼 보인다고 했다.

집으로 돌아오는 길에 나의 잘못이 무엇일까 생각했다. 순간 나는 내가 이 문제를 하나님께 맡기겠다고 해놓고 하나도 맡기지 않았음을 보게 되었다. 하나님께서 그 점을 확인시키려고 그 담당자와 몇 번이고 부닥치게 하셨다는 것을 깨달았다. 나는 내 방식을 고집했고 내내 상대에 대한 상한 마음을 풀지 않고 있었다. 최근 며칠간 하나님의 뜻을 구했건만 하나님께서 말씀하시지 않은 이유를 그제야 알았다. 내 안에 하나님을 막는 부분이 있었던 것이다.

하나님께서는 내가 그토록 분노하는 배후에 무엇이 있었는지 가르쳐주셨다. 내 안에는 남용된다고 여겨지는 공권력, 자의적으로 사용되는 권위에 대한 저항과 상처가 있었다. 대학 시절 시국 문제로 고민하며 쌓인 상처가 내 안에서 아직까지 치유되지 않고 있음을 비춰주셨다.

'거룩한 일' 또는 '하나님나라의 일'을 하는 경우, 우리는 그 사역에 걸림이 되는 존재를 자칫 다 적으로 규정하며 정죄하는 경우가 있다. 그러나 그것이 영적 교만에서 비롯될 수 있음을 하나님께서 보여주셨다. 나는 여전히 판단의 주체로 서고자 하는 본능에 사로잡혀 있었으며 내 자아 또한 죽지 않고 있었다. 나는 주님의 눈으로 상황을 보지 않았다. 내가 원하는 쪽으로 상황을 보았고 사람을 판단했다.

일전에 나를 위해 기도해주신 분이 이르기를 하나님께서 "더 내려놓아라, 더 내려놓아라"라는 말씀하셨다는 것이 떠올랐다. 그러고 보니 나는 어느새 이것저것을 가지고 내 자아를 세우고 있었다. 나는 나의 완악해진 마음을 회개했다. 그리고 이 문제를 온전히 하나님의 주권에 맡겨드리기로 결정했다.

다음날 점심 때 전화가 왔다. 그 분이 결례를 사과하고 싶다면서, 본인이 몽골국제대학만을 상대로 어렵게 하는 것이 아님을 해명하는 내용이었다. 사람을 보내면 비자 심사 기준에 대해 상세히 설명하여 보내겠다고 했고, 또 서류상의 문제를 보완하면 비자 건을 다시 검토하겠다고 했다. 나는 하나님께서 일하셨음을 직감했다.

나는 이 문제를 하나님께 전부 맡겼으며, 내 안에 있던 담당자의 태도에 대한 쓴 마음 역시 내려놓았으므로 더 이상 다른 마음이 남아 있지 않다고 설명했다. 그리고 그가 편파적이라고 느낀 것은 나의 오해에서 비롯된 것이라는 사과의 말도 덧붙였다. 하나님께 이 문제를 맡기고 나자 다음날 문제가 전부 해결되었다.

그 일이 있은 지 얼마 지나지 않아 교민 신문을 보는데 그 분이 귀국하게 되었다는 기사가 실렸다. 나는 이 사건이 있고 나서 내가 했던 기도의 내용이 떠올라 깜짝 놀랐다. 자세히 읽어보니 감사하게도 자신이 원하던 부서로 승진 발령되었다고 했다. 하나님께서는 내가 드린 기도를 이루시되 그 담당자를 위한 방법으로 일하셨다. 나는 기도에 더욱 신중할 필요를 느꼈다. 어쨌든 하나님께서는 가장 선한 방법으로 모든 일들을 이루어가셨다.

내가 하나님께 온전히 맡기면 하나님께서 일하신다. 이 과정에 나의 분노나 원한의 감정은 전혀 도움이 되지 않는다. 나의 분노나 원한은 실제로 내가 하나님을 전혀 의지하지 않고 있음을 보여주는 단서가 될 뿐이다.

빨간 모자를 눌러쓴 나의 유격훈련 조교

인정받고 싶은데 인정해주지 않는다고 느낄 때, 무시당한다고 생각될 때 우리는 분노하는 자신의 모습을 보게 된다. 다른 사람이 감추고 싶은 자신의 모습을 건드릴 때 우리는 분노한다.

내가 하나님께 온전히 맡기면 하나님께서 일하신다.

이 과정에 나의 분노나 원한의 감정은 전혀 도움이 되지 않는다.

나의 분노나 원한은 실제로 내가 하나님을 전혀 의지하지 않고 있음을 보여주는 단서가 될 뿐이다.

그러나 만일 당신이 자신을 무시하거나 공격하는 말에 분노한다면 당신 속에 아직 해결되지 않은 부분이 있다는 반증이다. 그런 말을 내뱉은 사람과 당신 사이의 문제가 아니라 당신과 당신 안에 있는 자아 사이에 해결하지 못한 어떤 문제일 가능성이 높다. 정작 내가 분노하는 이유는 상대의 말이 맞는다고 느끼기 때문이 아닌가? 바로 당신이 당신 자신을 받아들이지 못하는 것이 진정한 원인이다.

하나님의 평가 기준은 세상의 기준과 다르다는 사실을 잊지 말자. 내가 어느 교회에 다니든지, 내가 어느 학교 출신이든지, 나의 현재 직업이 무엇이든지, 내가 어떤 집안 출신이든지 하나님은 그런 것으로 우리를 평가하지 않으신다. 우리는 세상에 붙들려 있기 때문에 세상의 평가에 묶여 산다. 뿐만 아니라 세상의 평가가 하나님의 평가보다 더 중요하게 다가올 때가 있다. 세상이 나를 어떻게 보는가에 너무 집착한 나머지 나에 대한 주변의 평가에 급급해 하며 살아가는 것이다. 그러나 하나님은 분명하게 말씀하신다.

"나는 네가 어디에 속해 있는가를 보고 평가하지 않는다. 네가 나와 어떤 관계를 맺고 있는가, 내 앞에 어떤 모습으로 서 있는가 하는 것이 내가 너를 보는 기준이다."

우리가 하나님의 사랑을 경험하고 하나님의 눈으로 자신을 보기 시작할 때 우리는 자신을 사랑할 수 있는 힘을 얻게 된다.

우리가 믿음의 공동체 안에서 분노하고 좌절하는 또 다른 이유는 바로 누군가와 자신을 비교하고 경쟁하기 때문이다. 자신의 비교 대상보다 자신이 못하다고 느낄 때 우리는 분노한다. 또 비교 대상보다 좀 더 나은 대접을 받지 못하거나 충분히 인정받지 못한다고 느끼면 원망하게 마련이다.

혹시 당신 주변에 당신이 가까이하기 꺼리는 사람은 없는가? 혹 교회에서 누군가를 피하고 싶지는 않은가? 그 사람이 늘 신경 쓰여서 그가 앞자리에 앉으면 슬그머니 뒤로 물러나 앉고 싶어지는 그런 사람 말이다. 그런 사람을 피하고 싶어 하는 이유는, 많은 경우 그 사람이 자신이 숨기고 싶어 하는 모습을 드러나게 하기 때문이다.

내가 학력에 자신이 없다면 학벌 자랑하는 사람을 속물이라 규정하고 그런 사람을 피하고 싶어 한다. 내게 부족한 부분이 있어서 그 점 때문에 힘들어 하는데 그것을 자랑하는 사람을 만난다면 그에게 화가 나서 거리를 두고 싶어진다. 우리는 서로 엇비슷해 보이는 사람을 비교한다. 그러나 비교하면 할수록 내 안에는 좌절감과 원망이 쌓인다.

만일 우리가 이렇게 남과 비교하거나 남이 나를 어떻게 보는가에 집착한다면 우리는 복음의 진정한 자유케 함을 아직 경험하지 못한 것이다. 나를 바라보는 눈길을 늘 의식하며 사는 삶에 자유는 없다. 그 경우 나의 주인이 하나님이 아니라 나를 바라보는 시선이기 때문이다.

혹시 교회에서 마주하기 싫은 사람이 생겨서 교회를 옮겨본 경험이 있는가? 만일 그런 분들이 있다면, 어느 교회에 가든지 그런 사람은 반드시 있다는 것도 경험해보았을 것이다. 하나님께서는 우리를 성장시키기 위해 우리 주변에 우리의 특정 부분을 건드리는 사람들을 붙여주신다. 만일 우리가 문제의 원인을 자신에게서 찾지 않고 다른 사람에게 찾는다면 우리는 핵심을 놓치게 된다.

어느 목사님이 내게 이런 글을 보내준 적이 있다. 나의 자아를 건드리는 사람을 유격 조교로 이해할 필요가 있다는 것이다. 군대생활을 하다 보면 반드시 몇 번인가 이 빨간 모자를 쓴 유격 조교를 거쳐야 한다. 그와 마주치는 것은 괴롭기 그지없는 일이다. 하지만 그 유격훈련을 통해 우리는 더 단련되고 훈련된 군인이 될 수 있다. 그 훈련을 통과할 때까지 우리는 계속 그 조교에게 시달림을 받을 것이다. 아무리 장소를 옮겨보아도 훈련이 끝나지 않는 한 비슷한 사람을 계속 만나게 된다. 그러나 유격훈련을 마치고 나면 우리가 다시 그 조교를 만나는 일은 없게 될 것이다.

마음껏 넓히소서

2006년 여름 몽골국제대학교의 권오문 총장님이 새롭게 총장직을 맡으시면서 내게 부총장직을 맡아줄 것을 제안하셨다. 몽골에 2년 단기 선교사로 체류하고 있는 내가 부총장직을 수행한다는 것은 나의 원래 계획과 맞지 않아 보였다. 원래 나는 1년을 연장해서 3년간의 사역을 마치고 잠시 미국으로 돌아가 학술 논문을 책으로 펴낼 생각이었다. 좋은 박사후 과정 장학금의 기회도 잡고 싶었고 아내도 박사 학위를 받기 위해 논문을 써야 하는 시점이었다. 당시 한국의 몇몇 좋은 대학교에서 교수로 지원해보라는 권고도 있었다. 하지만 1년만이라도 부총장으로서 총장님을 도와 교학의 체계를 잡아달라는 요청에 나는 결국 응낙했다.

학교 사역에 집중하기 위해서 결국 이레교회 사역도 내려놓고 후임 목사님께 이양해야 했다. 그 후 나는 나의 새로운 보직 때문에 듣고 싶지 않았던 여러 비난에 직면했다. 좋은 관계나 그간 쌓아온 인덕을 하루아침에 잃어버리는 것 같은 상황이 전개되었다. 어떤 사람은 코드 인선이라 했고, 또 어떤 사람은 내려놓았다고 하는 사람이 부총장 자리를 원하느냐며 공격하기도 했다. 나에게 부총장이 된다는 것은, 내가 누릴 수 있는 또 다른 기회의 권리를 포기하는 것을 의미했건만 다른 사람의 눈은 다를 수 있다는 사실을 깨달았다.

하나님께서는 앞으로 내가 받게 될 비난에 대해 기도로 마음의 준비를 시키셨다. 첫 학기에는 교수님들 사이에서 나의 리더십에 대한 비난의 소리가 들려왔다. 물론 배후에 새롭게 추진하는 정책에 대한 의심이 있었던 것으로 안다. 그러나 표면적으로 학교 재정 사용이 불투명하다는 의혹을 제기했다. 학교를 위해 개인적인 재정까지 남몰래 쏟아 붓고 있는 상황에서 이런 오해를 받게 되자 나는 서운했다.

처음에는 이 오해를 풀어달라고 기도했다. 그런데 기도하는 가운데 나는 내 안에 분노의 씨를 보았다. 다른 사람이 내게 한 일에 대해 늘 분개하는 모습이었다. 기도로 용서했다고 하면서도 내 안에는 여전히 나를 비난한 사람들과 마주치지 않으려는 모습이 있었다. 나의 모습이 십자가의 예수님의 모습과 너무나 대비되었다. 계속 기도하는데도 내 마음이 긁히는 이유는 내 자아가 죽지 않았기 때문이라는 사실을 깨달았다.

"그렇지. 죽은 송장이 긁혔다고 벌떡 일어나나…."

나는 오해를 두려워하지 않기로 결정했다. 비난에 기죽지 않으려고 했다. 그리고 칭찬받을 권리도 포기하기로 했다. 그 후 리더십에 대한 의심은 3개월이 채 가지 않았다. 나중에 오해했던 몇 분이 눈시울을 적시며 미안하다는 말을 전했다. 하나님께서는 관계들을 교통정리해주셨다. 내가 잠잠히 사람을 품을 수 있어야 연합이 이루어진다는 것도 알게 하셨다. 하나님께서는 새로운 사람들을 보내주셨고 동역의 기쁨을 더해주셨다. 돌아보건대 오해의 말과 비난은 나를 성장시키기 위한 선물이었다.

기도하는 가운데 어느 분을 통하여 하나님께서 내게 말씀하셨다. 지금 내가 견디는 힘을 세 배 이상 더 굳건히 하기 원하신다는 것이었다. 하나님의 눈으로 볼 때 내가 아직도 주님이 원하시는 만큼 풍성히 품는 마음을 갖지 못한 것이다. 내 기준과 주님의 기준이 다르고 나를 향한 주님의 기대가 나의 기대보다 훨씬 크다는 것을 깨달았다. 주님의 마음을 깨닫자 나는 기도할 수 있었다.

"하나님, 나를 마음껏 넓혀주십시오. 내가 느끼는 비난의 아픔은 때로 스트레칭 할 때 느끼는 근육통 같은 것이겠지요. 하나님의 연단을 통해서 내 마음이 더 넓어지고 더 많은 사람들을 품을 수 있다면 주님의 뜻대로 되기를 소원합니다."

그 후 하나님께서는 여러 경로를 통해 나를 몽골 사역을 위해 계속 남겨두실 계획을 가지고 계셨음을 깨닫게 하셨고 지속적인 헌신으로 우리 가정을 이끌어가셨다. 내가 이곳에서 더 연단 받아야 할 것과 그 후에 하나님께서 사용하기 원하시는 영역(아직 내게 분명히 보이지 않으셨지만)이 있음을 가르쳐주셨다.

7장 나는 판단할 권리가 없다

판단하는 그 사람이 스스로 비판을 받기 때문이다

누가복음 15장 30절에 보면 "아버지의 살림을 창기와 함께 먹어버린 '이 아들' 이 돌아오매"라고 했다. 영어 표현에 "이 아들"은 'this son of yours' 라고 되어 있다. 그는 작은아들을 '내 동생' 이라고 부르지 않았다. '당신의 이 자식이' 라는 말로 동생의 과오를 정죄했고 그를 받아들이지 않았다.

그는 자신의 동생을 긍휼히 여기는 마음이 없었다. 도리어 판단하고 정죄했다. 처음에는 나도 큰아들의 이런 모습을 바리새인들이 죄인을 대하는 태도라고 여겼다. 그러나 성령님의 조명하심으로 나에게도 이런 모습이 있다는 사실을 깨달았다. 사실 큰아들의 모습은 이미 신앙을 가지고 있지만 주님의 긍휼을 누리지 못하고 나누지 못하는 기존 신자들의 모습을 비유하는 것으로 볼 수 있다.

성경은 여러 곳에서 판단하지 말라고 경고한다. 왜 그럴까? 판단이 자기의(自己義)라는 죄와 깊이 맞물려 있기 때문이다. 바나바 훈련원의 이강천 목사님이 마태복음 7장 1절부터 12절의 본문으로 강해설교 하는 것을 들은 적이 있는데 공감하는 바가 컸다. 그 강해 설교의 핵심은 1절부터 12절 말씀이 판단의 문제를 다룬 예수님의 일관된 가르침이라는 데 있다.

일단 남을 비판하지 말아야 할 첫 번째 이유는 마태복음 7장 2절 말씀으로 설명된다. 즉, 비판을 하는 사람이 그 비판을 받기 때문이다.

"너희의 비판하는 그 비판으로 너희가 비판을 받을 것이요 너희의 헤아리는 그 헤아림으로 너희가 헤아림을 받을 것이니라."

판단을 하면 판단하는 사람의 영이 즉시 묶여버린다. 그 사람이 학교의 선배든, 선생님이든, 회사 상사든, 평소 싫어하는 정치인이든지 간에 하나님께서는 당신을 묶고 있는 그것들을 풀라고 말씀하신다. 그것이 묶고 있는 한 당신도 묶이기 때문이다.

"너희가 땅에서 매면 하늘에서도 매일 것이요 땅에서 풀면 하늘에서도 풀리리라"(마 18:18).

우리가 남을 판단하게 된 근원에는 선악과가 있다. 하나님이 아닌 자기 스스로 판단의 주체가 되고자 하는 욕구의 핵심에 바로 선악과가 있었다. 스스로 선과 악을 판단하고자 하는 교만이 선악과의 정신이다. 선악과를 따먹는다는 것은 하나님의 눈으로 나와 내 주변을 보기보다 나의 의를 기준으로 판단하겠다는 뜻이다. 결국 하나님의 긍휼어린 눈으로 형제자매를 보는 것이 아니라 내 기준으로 재단하는 것, 이것이 판단이다.

예수님이 판단하지 말라고 하신 이유는 판단하는 사람의 영혼을 보호하기 위해서다. 사탄은 고소하고 정죄하는 영이다. 우리가 상대를 판단하면 영적으로 사탄과 묶이게 된다. 사탄은 우리에게 추악하고 더러운 모습을 보이지 않는다. 광명의 천사로 가장하여 나타난다. 아름다운 모습으로 의의 화신으로 나타나 그 의의 기준으로 우리를 힘들게 하는 사람을 고소한다. 더 나아가 그 기준으로 우리를 고소한다. 또 판단하는 우리가 스스로 자신을 다시 판단하게 함으로써 자책감 속에 괴로워하게 만든다. 이 비판의 문제는 하나님을 이제 막 믿기 시작한 초신자보다는, 이미 신앙생활을 오래 해온 리더의 위치에 있는 사람에게 더 심각하게 나타날 수 있다.

사탄은 예배 전문가였고 또 하나님을 경배하고 섬기는 법을 잘 알던 존재이다. 그 누구보다 예배의 기교나 종교 행위에 대해 뛰어난 전문성을 가지고 있었다. 그런데 그에게 한 가지 부족한 것이 있었다. "나의 원대로 마옵시고 아버지의 원대로 하옵소서"라고 고백하신 예수님의 겟세마네 기도를 기억할 것이다. 이것은 사탄이 결코 따라할 수 없는 기도였다. 왜냐하면 사탄은 자기의가 강한 존재였고 자신의 자아를 하나님의 뜻에 굴복시킬 수 없었기 때문이다. 주님께 예배할지라도 우리가 여전히 형제를 판단하는 주체로 서 있다면 우리는 사탄에게 더 가까운 쪽에 서 있는 것이 된다.

우리에게 죄책감을 주고 우리를 율법에 의거하여 고소하는 자는 사탄이다. 우리는 이 부담감을 안고 하나님을 멀리하게 된다. 반면 성령의 감동과 조명하시는 마음의 찔림, 이것은 사람을 바꾸는 힘이 있다. 이 변화의 필수 요건은 성령의 감화이다. 성령의 지적은 순종하는 영혼을 송두리째 변화시키신다. 사람의 결단으로는 될 수 없는 변화를 일으키신다.

판단하는 그 사람에게 동일한 문제가 있기 때문이다

남을 판단하지 말아야 할 두 번째 이유는 판단의 이유가 자신에게 동일하게 문제가 되기 때문이다. 마태복음 7장 3,4절 말씀이다.

"어찌하여 형제의 눈 속에 있는 티는 보고 네 눈 속에 있는 들보는 깨닫지 못하느냐 보라 네 눈 속에 들보가 있는데 어찌하여 형제에게 말하기를 나로 네 눈 속에 있는 티를 빼게 하라 하겠느냐."

예수님은 우리가 누군가를 판단하기에 앞서서 내 안에 있는 들보부터 제거하라고 명하신다. 그 들보야말로 우리가 누군가를 판단하게 하는 원인을 제공하기 때문이다.

우리가 다른 사람의 어떤 문제에 대해 예민하게 반응한다면 그 현상 이면에 우리 안에 동일한 문제가 원인으로 작용하고 있다는 것을 알아야 한다. C. S. 루이스가 말한 것처럼 교만한 사람이 교만한 사람을 가장 잘 알아본다.

"쟤, 왜 저렇게 튀어?"

"쟤, 정말 속물 같아."

이런 비난을 하는 이유는 내 안에 동일한 마음이 있기 때문이다. 비난하는 사람에게는 동일한 죄의 문제가 있다. 결국 내가 하는 그 판단으로 주님께서 당신을 판단하실 것이다.

우리 주변에는 정의감에 불타는 '의(義)의 화신' 들이 있다. 처음에는 이들이 옳아 보이고 그들의 정의가 매력적으로 느껴진다. 하지만 비판의식에 투철한 이 의의 화신들에게는 영혼의 메마름과 내적 분노 그리고 관계의 단절이라는 문제가 도사리고 있다.

왜곡된 권위에 대한 상처 그리고 정치권력에 대한 분노는 우리나라 30대와 40대 가운데 아픔을 남겼다. 이 아픔이 지속적으로 관계의 문제를 일으킨다. 관계 맺기의 어려움은 하나님과의 관계에도 동일한 어려움으로 작용한다. 하나님을 전적으로 신뢰하자니 의심이 가고 용납하기 어려운 부분이 너무 많은 것이다.

미국 유학생활을 통해서 또 수차례 집회를 인도하면서 나는 한인 1.5세나 2세의 상처를 보았다. 부모세대와 권위에 대한 상처였다. 그 상처가 그들에게 말할 수 없는 정신적 장애를 초래했고 열등감과 관계의 어려움을 빚는 큰 원인이 된다고 느꼈다. 그들은 자신들이 가진 상처를 고스란히 안고 하나님에 대해서도 그 상처를 가지고 그대로 반응하게 된다.

우리에게 상처를 준 사람이 죄를 짓는 것이 아니다. 그 상처를 가진 상처받은 우리가 죄를 짓기 시작하는 것이다. 어떤 부분이 상처로 남는 이유는 자신의 자아 안에 특별히 취약한 어떤 부분이 있기 때문이다. 자기에 대한 연민과 집착 그리고 자기의(自己義)가 어우러져 내게 상처를 준 사람을 마음속에서 놓지 못하고 미워하게 된다. 흔히 우리는 우리의 의의 기준에 부합하지 않는 사람들과 거리를 두게 되며 결국 관계가 깨어진다. 따라서 상처받은 일로 힘들어 하며 상처를 준 사람을 미워하는 데 머무른다면 문제를 해결할 수 없다. 상처받게 된 자기 속의 문제, 자기연민과 자기의의 문제에서 벗어나기 위해 우리는 성령님을 요청해야 한다. 그러기 전에 우리는 여전히 아버지의 마음을 잃어버린 큰아들로 남게 될 것이다.

우리가 판단하는 한 우리는 아버지의 마음을 잃게 되고 그리하여 큰아들의 모습으로 남게 된다. 신앙생활을 잘 하려고 하지만 교회에서 여전히 힘든 이유는 우리에게 이런 큰아들의 모습이 남아 있기 때문이다.

우리의 판단이 때로는 하나님이 하시는 일에 대한 의심과 원망에까지 이르기도 한다. 처음에는 바른 이성과 순수한 마음으로 교회의 문제에 대해 의견을 제시할 수 있다. 때로는 예언자적 영성을 가지고 교회 공동체의 잘못을 예리하게 지적할 수도 있다. 이것은 건전한 일이다. 그런데 유의할 것은 이 일에 사탄이 올무를 던질 수 있다는 것이다. 그럴 때 우리는 자칫 자신의 책임도 있다는 사실을 간과한 채 혼자 의인으로 남게 된다. 내가 누군가를 판단한다면 그때는 대체로 내가 영적으로 고갈되고 메마른 시기였다.

교회는 예수님을 머리로 하는 한 몸이다. 몸의 한 부분이 아플 때 손이 해야 할 일은 아픈 부분을 끌어안는 것이다. 병들고 아픈 이유가 입이 음식을 먹지 못해 그런 것이라고 손이 비판할 수 있는가? 몸이 아픈 데는 복합적인 이유가 있다. 음식을 먹지 않은 것은 손과 발에게도 책임이 있다. 상호의존 관계가 파괴되면 하나님의 음성을 들을 수 없다. 내 생각만 남게 된다. 결국 내가 공동체에 유익을 끼칠 수 있는 기회마저 잃게 된다.

판단하는 말로 그 사람이 변화되지 않기 때문이다

남을 판단하지 말아야 할 세 번째 이유는 비판으로는 그 사람이 변화되지 않기 때문이다. 오히려 내가 해를 입을 수 있으니 비판을 삼가라는 것이다. 마태복음 7장 6절 말씀이다.

"거룩한 것을 개에게 주지 말며 너희 진주를 돼지 앞에 던지지 말라 저희가 그것을 발로 밟고 돌이켜 너희를 찢어 상할까 염려하라."

이것은 그동안 쉽게 이해되지 않는 말씀으로 간주되어 왔다. 이 말씀을 이해하려면 예수님의 판단에 대한 가르침에 주목해야 한다. 진주는 바로 진리를 담은 말, 다시 말해서 판단하는 말이다. 우리가 비판할 때 그것은 일견 진리의 말이다. 그런데 상대가 돼지의 상태일 경우, 진리를 담은 말의 가치를 모르고 그 말을 받아들이기는커녕 그 말로 상처를 받아 그 말을 한 사람에게 원한을 갖거나 해치려 한다.

한 예로 아내가 남편에게 다음과 같이 말했다고 가정해보자.

"당신, 씻지 않으니까 몸에서 냄새가 나요. 어쩌면 이리 안 씻을까? 도대체 그러고도 회사생활 하는 것을 보면…."

혹은 남편이 아내에게 "당신, 집에 있으면서 어쩌면 이리 어지르고 양심의 가책도 없이 지낼 수 있어? 당신이 안 치우니까 애들도 다 따라서 엉망으로 하고 살지"라고 하거나 또는 부모가 자식에게 "너는 하라는 공부는 안하고 또 컴퓨터 게임 하고 있니? 내가 너에게 안해준 게 뭐가 있니?"라고 말했다면 이런 비난은 우리의 실상을 예리하게 지적하는 것이다. 어찌 보면 진주와 같은 말이다. 그러나 우리가 그런 말을 듣는다고 쉽게 감사하는 마음이 들지는 않는다.

잘못을 지적하는 남편에게 "여보, 잘못된 부분을 지적해주어서 너무 고마워요"라고 반응하지 못하는 것이 우리의 수준이다. 내게 어려운 것은 다른 사람에게도 어렵다.

다음 예화는 이강천 목사님이 설교 중에 인용한 한 사모의 실례를 그대로 옮긴 것이다.

어느 사모님이 바나바 훈련원에서 훈련을 받던 중 판단에 대한 말씀을 듣고 회개하게 되었다. 그 분의 경우 어려운 숙제 같았던 문제는 바로 세 딸과의 관계에서 오는 어려움이었다. 날마다 아침잠이 많은 세 딸들을 깨우며 엄마와 세 딸 사이에 긴장이 고조되고 있었다.

사모님은 새벽기도를 마치고 집으로 돌아와 서둘러 아침식사와 도시락 준비를 했다. 식사 준비를 하면서 시계를 보면 어김없이 아이들이 일어나야 할 시간이 지나게 된다. 그러나 아이들은 그때까지도 기척이 없다. 엄마는 마음이 급해 부리나케 방으로 들어가서 소리친다.

"해가 중천에 떴는데 말만한 계집애들이 아직도 퍼질러 자고 있으면 어떻게 해!"

엄마의 이 말은 돼지에게 던진 진주이다. 다 맞는 말이다. 날은 이미 밝았고 아이들은 스스로 일어나야 할 만큼 자랐다. 그런데도 여전히 자고 있다. 하지만 엄마가 던진 진리의 말에 아이들은 결코 "깨워주셔서 감사합니다"라고 반응하지 않는다.

"엄만 아침부터 큰소리야. 내가 귀 먹은 줄 알아? 아이, 기분 상해. 몰라, 나 더 잘 거야."

더 자겠다고 이불 속으로 파고드는 아이를 일으켜서 침대에서 내려오게 한 다음 화장실에 집어넣는다. 큰아이가 툴툴거리며 마지못해 씻는다. 이제 다시 둘째 아이와 전쟁을 벌인다. 셋째까지 깨우고 나면 진이 다 빠진다. 그런데 아이들은 식탁에 앉아도 뿌루퉁하다. 일찌감치 준비한 아침식사를 먹는 둥 마는 둥 하고 학교로 향한다. 아이들을 보내놓고도 영 기분이 좋지 않다. 아이들의 표정도 마찬가지이다. 이것이 반복되는 아침 일과였다.

이 사모님은 이제부터 변화하기 원했다. 그 날 아침 다시 시계를 보니 아이들을 깨울 시간이 되었다. 그렇지만 어떻게 시작해야 할지 몰랐다. 기도하며 하나님의 지혜를 구했다. 그런 다음 아이들의 방으로 들어가 큰아이부터 일으켜 안았다. 그리고 등을 토닥토닥 두드려주며 말했다.

"우리 딸, 공부하느라 얼마나 피곤할까! 힘들지? 그래도 이제 일어나야지."

큰딸이 엄마를 이상하다는 듯 물끄러미 쳐다본다. 그러다가 머리를 긁적이며 세면대로 향한다. 둘째와 셋째도 그렇게 씻으러 갔다. 그날은 그렇게 아무런 갈등 없이 아침을 보냈다.

다음날 아이들을 깨우러 방으로 들어간 엄마는 아이들이 방에 없다는 사실에 놀랐다. 둘러보니 아이들은 벌써 씻고 있는 중이다. 내심 신기했지만 무슨 일이냐고 물을 용기가 없었다. 그 날 오후 집에 돌아온 한 아이를 불러서 무슨 일이 있었는지 물었다. 알고 보니 그 전날 세 딸이 모여서 회의를 했다고 한다.

"얘들아, 엄마가 좀 변한 것 같지 않아?"

"그래, 그런데 엄마가 안아주니까 기분이 좋았어."

"실은 엄마가 안아줄 때 난 좀 미안한 마음이 들었어."

"나도 그랬는데."

"우리… 엄마가 깨우기 전에 미리 일어날 수 없을까?"

"어떻게? 우린 자명종이 울려도 못 일어나잖아."

"우리 내기할까? 늦게 일어나는 사람이 오천 원씩 내기."

"뭐? 오천 원은 너무 비싸."

"벌금이 비싸지 않으면 못 일어나."

"그래… 그렇게 정하기로 하자."

"나도 좋아."

이런 회의를 거쳐서 스스로 일어나기로 했다는 것이다. 이렇게 엄마와 딸들의 갈등이 해소되자 점차 서로 대화하는 시간이 많아졌다. 엄마는 아이들이 마치 친구처럼 대화를 나눌 수 있을 만큼 성장했다는 사실을 깨달았다.

아이들을 변화시킨 것은 엄마의 지적이 아니었다. 엄마의 따뜻한 포옹이 아이들의 변화를 촉발시킨 것이다. 우리가 지적을 받고 변화될 수 있었다면 우리는 이미 모두 매우 훌륭한 사람들로 바뀌었을 것이다. 우리를 변화시키는 것은 격려와 사랑의 표현 그리고 눈물의 중보기도이다.

우리는 분별할 줄 알아야 한다. 내 의의 기준으로 재단하는 판단과 달리 분별이란 하나님의 눈으로 바라보는 것이다. 아버지가 집 나간 둘째 아들을 바라보는 눈으로 둘째 아들을 대하는 것이 분별이다. 그렇기 때문에 분별하는 사람에게는 긍휼의 마음이 있다. 판단하는 사람은 비난하고 책임을 전가할 뿐 스스로 책임지려 하지 않는다. 그러나 분별하는 사람은 그 사안이나 사람에 대해 책임감을 느낀다. 그래서 눈물로 중보하게 된다. 자신이 판단과 분별의 모호한 경계에 있다고 생각된다면 자신이 판단하는 대상을 위해 주님 앞에 안타까운 심정으로 중보하며 나아가기를 원하는지 돌아보면 된다.

하나님께서 일천번제를 드린 솔로몬에게 찾아오셔서 무엇을 원하는지 물으셨을 때, 솔로몬은 하나님께 지혜를 구했다. 영어성경에서는 이 지혜를 '분별하는 마음'(discerning heart)이라고 번역했다. 다시 말해서 상대방의 심정을 읽고 마음으로 이해하는 능력이라고 볼 수 있다. 솔로몬에게 두 여인이 찾아와 한 아이를 놓고 서로 자신의 아이라고 다투었다.

그때 솔로몬은 산 아이를 둘로 나누라는 판결을 내렸다. 아이를 살리기 위해 아이를 포기하는 사람이 아이의 진짜 어머니라는 것을 알았기 때문이다. 그는 어머니의 마음을 잘 이해했기 때문에 어머니의 심정으로 그 아이를 위한 최선의 선택을 했다. 이것이 분별하는 마음이다.

우리를 변화시키는 것은 비난과 고소가 아니다. 예수님은 우리가 율법의 정죄함으로 변화될 수 없는 존재라는 것을 너무나 잘 알고 계셨다. 우리를 변화시키는 것은 사랑의 말이다. 그래서 판단하지 말고 서로 용납하라고 말씀하신다.

우리가 말로 다른 사람을 고치려 한다면 그 안에는 자신이 하나님을 대신해서 하나님 자리에 앉으려고 하는 교만이 존재한다. 아내의 우울증과 슬럼프 기간 동안 나는 내 아내조차도 변화시킬 수 없는 존재라는 사실을 인정하고 하나님께 이 문제를 가지고 나갔다. 그때 하나님께서 아내를 변화시켜주셨다. 내가 고치려 했다면 문제는 더 악화되었을 것이다.

하나님은 우리를 변화시키기 위해 오래 참으셨다. 나의 나 되기까지 오래 참으신 하나님을 생각하면 나는 겸허해질 수밖에 없다. 나를 오래 참으신 하나님께서는 내가 판단하는 그 사람을 위해서도 오래 참으실 것이다. 우리는 우리가 판단하는 대상의 현재만 보지만 하나님께서는 그의 과거와 미래를 같이 보신다. 나는 그의 미래의 변화된 모습을 알지 못한다. 또 나의 미래의 모습도 알지 못한다. 변화되지 못했던 나의 예전 모습을 돌이켜보면 하나님께서 변화시키지 못할 사람이 없음을 알 수 있다.

지금은 모자라 보여도 앞으로 변화될 모습을 내다보며 기대를 가지고 사람을 바라보는 것이 하나님이 주시는 분별의 지혜이다.

판단하는 사람이 자기의의 문제를 간구하면 하나님이 들으신다

남을 판단하지 말아야 할 네 번째 이유는 마태복음 7장 9절부터 11절의 판단하는 사람이 자기의의 문제를 해결하기 위해 간구하면 하나님께서 좋은 것으로 주실 것이라는 말씀에서 찾을 수 있다.

"너희 중에 누가 아들이 떡을 달라 하면 돌을 주며 생선을 달라 하면 뱀을 줄 사람이 있겠느냐 너희가 악한 자라도 좋은 것으로 자식에게 줄 줄 알거든 하물며 하늘에 계신 너희 아버지께서 구하는 자에게 좋은 것으로 주시지 않겠느냐."

이 구절에 관한 기존의 해석은 9절부터 11절의 내용을 기도에 국한된 내용으로 보고 열심히 간구할 필요성만 강조한 말씀으로 보는 것이었다. 물론 그 해석도 가능하다. 하지만 좀 더 근본적으로 판단의 문제에 관해 설명하는 내용의 일부로 보는 것이 문맥상 더 자연스럽다.

스스로 판단하는 의에 대해 자유로운 사람은 희소하다. 내 자아가 죽지 않고서는 해결되기 어려운 부분이다. 그렇다고 해서 자신의 결단만으로 이 문제가 해결되지는 않는다. 성령의 도우심이 절대적으로 필요하다. 하나님께 이 부분을 가지고 나아가 간구하면 들어주시겠다는 뜻이다. "누가 아들이 떡을 달라 하면 돌을 주며 생선을 달라 하면 뱀을 줄 사람이 있겠느냐"라는 말씀은 자기의를 버리고 좋은 것을 구하는데 하나님

하나님은 우리를 변화시키기 위해 오래 참으셨다.

나의 나 되기까지 오래 참으신 하나님을 생각하면 나는 겸허해질 수밖에 없다.

나를 오래 참으신 하나님께서는 내가 판단하는 그 사람을 위해서도 오래 참으실 것이다.

께서 들어주시지 않겠느냐는 의미로 해석이 가능하다.

오직 성령의 도우심만이 판단하는 문제를 해결하실 수 있다. 우리의 죄책감의 문제도 마찬가지이다. 성령님은 우리가 모든 율법의 요구를 넘어서도록 인도하신다. 우리가 비록 율법의 기준에 이르지 못할지라도 하나님은 아버지의 긍휼을 우리에게 부어주시며 우리를 지속적인 영적 성장의 과정으로 이끄실 것이다. 우리가 가장 먼저 구하고 찾고 두드려야 할 것이 바로 이것이다.

하나님 아버지의 마음에 대해 처음으로 설교를 준비했을 때, 하나님께서는 내 안에 큰아들의 모습이 있음을 가르쳐주셨다. 그 당시 나는 설교 준비를 마친 상태에서 하나님의 마음이 느껴지지 않아 씨름하던 중이었다. 그런데 문득 나의 판단하는 모습이 하나님의 빛 가운데 드러났다. 몽골에서 사역하는 동안 선교사들의 부족한 면을 보면서 그것을 판단했던 내 모습을 보게 된 것이다.

'선교사에게 이런 모습이 있으면 안 되는데…. 왜 저 속에서 헤어나오지 못할까? 좀 더 생각을 넓히면 좋을 텐데….'

나는 앞으로 그 분들을 변화시키실 하나님의 계획과 능력을 신뢰하지 못했다. 하나님께서 그 분들에 대해 동일한 사랑을 품고 기다리신다는 것을 깨닫고 나는 회개하기 시작했다. 그러고 나니 상대의 약함을 긍휼히 여기는 마음과 중보하는 마음이 생겨났다. 긍휼의 마음은 관계를 회복시킨다.

우리의 실수도 사용하시는 하나님

하버드대학교에서 공부하는 첫 2년간 나는 매우 힘이 들었다. 유학을 가서 새롭게 시작한 분야가 내게 익숙한 전공이 아니었기 때문이다. 한국에서는 동양사를 전공했지만 나는 다시 중동지역에 대한 역사를 공부하기 시작했다. 나도 그랬지만 하버드에서 공부하는 동안 논문자격 시험 때문에 힘들어 하는 학생들이 많았다. 그중 한 학생이 경험한 놀라운 하나님의 인도하심에 관한 이야기이다.

그 학생은 미국에서 나와 같은 교회를 다녔는데 MIT에 다니는 공학도였다. 하나님께서는 유학이라는 어려운 환경을 통해 계속 그를 만나주셨다. 하지만 그는 그때까지도 신앙생활에 미온적인 태도를 유지하고 있었다. 그런데 그가 문화 차이에서 빚은 오해로 한 교수의 노여움을 사서 눈 밖에 나게 되었다.

그때부터 이 학생에게는 너무나 괴로운 학교생활이 시작되었다. 눈 뜨고 학교에 가려고 하기만 하면 가기가 싫고 눈물이 앞을 가렸다. 자신의 신세가 너무 서러워 기도하면 날마다 눈물이 났다. 그런데 더 심각한 일이 벌어졌다. 논문자격 시험 출제교수가 바로 자기를 미워하는 그 교수였기 때문이다. 그 교수가 "너는 이번에 꼭 떨어질 줄 알아라" 하고 벼르고 있으니 어떤 문제를 낼지, 어떻게 채점할지 긴장하지 않을 수 없었다.

미국 대학의 박사 과정 논문자격 시험 중에는 일반 시험처럼 문제지를 받고 그 자리에서 시험을 보는 게 아니라, 문제를 받으면 보통 3~4일 정도의 제한된 기간 동안 그것을 풀어서 제출하는 시험이 많다. 정말 어려운 문제이기 때문에 보통 여러 날이 걸려도 답을 찾지 못하는 경우가 허다하다.

그런데 어느 날 학교에 가봤더니 시험문제가 이미 전날 출제되었다는 것이다. 그 학과의 비서가 "출제된 시험문제를 확인했느냐?"고 물었을 때 "벌써 시험문제가 출제되었는가?"라고 반문했지만 이미 물은 엎질러진 후였다. 엎친 데 덮친 격으로 하루가 지나간 것이다. 그래서 그는 교수에게 사정을 했다.

"저는 시험문제가 출제된 것도 몰랐습니다. 답안 제출 일자를 연기해주실 수 없겠습니까?"

그러나 교수는 "어떻게 시험 보는 날짜도 모르는가? 당신이 학생 맞느냐?"라고 되물었다. 그러더니 다음 기회에 시험을 보라며 아예 그 학생의 시험을 취소시켜버리고 말았다. 그는 또다시 눈물의 기도를 했다. 그 후 컴퓨터 이메일을 열어보니 학과 비서가 이메일을 보내왔다. 그녀가 보기에도 안됐다 싶었는지 격려하는 이메일을 써보낸 것이었다. 힘이 들더라도 잘 이겨내라는 내용이었다.

그는 메일에 답하면서 "내가 비록 학교를 그만두게 되더라도"라고 썼는데, 이때 'even if'를 써야 할 자리에 'even though'를 쓰는 실수를 하고 말았다. 그는 그 두 표현의 차이를 잘 몰랐다. 우리말로 보면 '비록 무엇일지라도'라는 영어 표현으로 'even if'와 'even though' 두 표현에 차이가 없다고 생각하기 쉽다. 그러나 실제로 미국에 가서 생활해보니 이 두 가지는 서로 다른 뜻으로 사용되고 있었다.

구체적으로 설명하자면, 'even if'는 말 그대로 그냥 단순한 가정이다. 예를 들어 "지금 밖에 비가 내리지는 않고 있지만 혹시 내릴지라도 나는 오늘 모임에 갈 것이다"라고 말할 때에는 'even if'를 쓴다. 반면 "지금 밖에 비가 오고 있지만 그래도 나는 갈 것이다"라고 단정적으로 말할 때는 'even though'를 쓴다. 어느 것을 쓰느냐에 따라 현재 비가 내리고 있는지 안 내리는지 정반대 의미가 전달될 수 있다. 그런데 그 학생이 바로 이 'even if'와 'even though'를 구분하지 못한 것이다.

그가 정말 학교를 그만두겠다는 것이 아니라 단순히 그만둘지도 모른다는 가정의 뜻이니까 'even if'를 써야 했는데 그만 확실히 그만둘 것을 전제하는 뜻으로 해석되는 'even though'를 써버린 것이다. 그러자 편지의 내용이 매우 심각해졌다. 즉 "내가 학교를 그만둘 것인데"라는 뜻의 문장이 된 것이다.

비서가 답장을 받아보고 '이 학생이 매우 심각하다. 학교를 그만두겠다니 지나치게 비관적이다'라고 생각했다. 그러다 문득 지난해에 본 대학 전자공학과에서 중국인 학생 한 명이 공부가 너무 힘들다고 자살한 사건이 기억났다. 그 일로 학교가 발칵 뒤집어졌던 일이 생각나서 학과 교수와 학생 전체에게 긴급 메일을 보냈다. 내용은 지금 이 학생이 정신적으로 극한 스트레스를 받아 위험한 상태이니 만나면 무조건 잘해주라는 것과 혹시 사고가 날지도 모르니 예의 주시해달라는 것이었다.

그 메일을 받아본 사람 중에 가장 큰 충격을 받은 사람은 "너는 떨어질 줄 알아라!" 하고 벼르던 문제의 그 교수였다. '내가 너무 심하게 했구나. 큰일 났다! 이러다가 사고라도 나면 어쩌지' 하는 걱정이 들었다. 그때부터 그 교수는 학교에서 그를 만나면 "잘 지냈니?" 하며 반갑게 대해주었다. 그 교수뿐만 아니라 학생들의 분위기도 변했다. 모든 사람들이 전부 그 학생을 챙겨주는 분위기였다. 그는 몹시 의아했다.

그에게 바로 재시험 문제가 주어졌는데 시험문제가 생각보다 훨씬 쉽게 나왔다고 한다. 그 전에 받았던 시험문제는 자신에게 일주일 이상 시간이 주어졌더라도 풀 수 없을 만큼 어려운 문제였다고 하니 결국 하나님은 이 학생의 약점과 실수까지 사용하셔서 그를 곤경에서 구출해주신 것이다. 이것이 하나님의 방법이다.

8장 고통당한다고 하나님을 헤아리겠는가

아버지는 불공평하다

탕자의 비유에 등장하는 큰아들은 아버지에 대한 서운함이 있었고 그것이 원망이 되었다. 그는 아버지에게 불평했다.

"내게는 염소 새끼라도 주어 나와 내 벗으로 즐기게 하신 일이 없더니"(눅 15:29).

큰아들은 아버지가 불공평하다고 보았다. 아버지가 둘째 아들에게 보여준 긍휼이 자신에 대한 대우에 비해 지나치게 크다고 본 것이다. 큰아들은 자신과 자신의 동생에 대한 아버지의 대우에 매우 민감했다. 그것을 비교했고 자신에 대한 아버지의 대우가 자신의 기대에 미치지 못한다고 생각했고 그것을 견디지 못해 했다. 그는 모든 재산이 그의 것이며 그가 요청하기만 하면 아버지가 주신다는 것을 이해하지 못했다. 그랬기 때문에 자신에게도 가장 좋은 것을 주고자 하시는 아버지의 사랑을 의심하고 서운해 했다. 그 결과 아버지를 거부하고 자신을 고립시키고 있는 것이다. 그리하여 그의 마음은 자신의 진정한 필요를 채워주실 수 있는 아버지의 사랑으로부터 분리되어 갔다.

혹시 이 글을 읽는 독자들 중에 하나님이 불공평한 분이라고 생각하는 사람이 있는가? 하나님을 향해 분노의 감정을 비춘 적은 없는가?

"하나님은 나만 힘들게 하셔! 나는 돌아보시지 않는 것 같아! 하나님이 나를 사랑하신다면 왜 이런 상처와 아픔을 주시는 걸까?"

특별히 우리가 하나님에 대해 서운할 때는 언제인가? 꼬여 있는 자신의 상황과 비교할 때 다른 지체들이 잘나가고 있을 때이다. 당신이 누군가와 자신을 비교한 다음 절망감에 휩싸여 화를 낼 경우, 그 화살의 끝이 어디를 향하고 있는지 깊이 생각해보라. 궁극적으로 전능자를 향하고 있음을 인식할 수 있을 것이다. 하지만 당신은 감히 하나님께 분내는 모습을 드러냈다가는 큰일 날 것 같아 차마 입 밖으로 내지 못하고 그저 속으로 그런 생각을 억누르고 감추려 했는지도 모른다.

아, 하나님의 불공평한 은혜로

하나님의 공평성을 판단하는 인간의 뿌리 깊은 오해는 성경에서 지속적으로 다루어진다. 가인이 아벨을 질투하게 된 배경에는 하나님이 아벨에게 더 관심이 있으시다는 생각이 있었다. 마태복음 25장에 나오는 달란트 비유에서 한 달란트 받은 종이 주인에게 말한다.

"당신은 굳은(엄한) 사람이라…"(마 25:24).

그는 주인을 오해했다. 그는 주인을 엄하고 혹독한 사람으로 보았고 그래서 두려워했다. 그 결과 달란트를 증식시키기보다 그것을 숨겨놓았다. 그가 그런 오해를 한 배경에는 자신이 다른 종들에 비해 인정받지 못한다는 생각이 있었으리라. 주인이 자신과 다른 종을 차별한다고 보았기 때문에 그는 주인의 일에 열심을 내지 않았고 받은 달란트로 이문을 남기는 일도 남의 일처럼 한 것 같다. 만일 그가 받은 것으로 장사하여 이문을 남기려고 애썼다면 주인은 그에게 더 많은 것을 맡겼을 것이다. 하나님의 관심은 그가 얼마를 벌었느냐가 아니다. 그가 성장하고 있는가이다.

성경에는 포도원 주인과 품꾼들의 비유가 나온다(마 20:1-16). 포도원 주인이 일꾼들을 불러서 일을 시키는데 오전에 온 사람이나 오후에 온 사람이나 일이 거의 끝나갈 무렵에 온 사람이나 다 같은 품삯을 주었다. 그러자 먼저 와서 일한 일꾼들이 불평하기 시작했다. 자신들이 받은 몫은 정당하지만 다른 사람이 받은 몫은 자신이 생각한 것보다 많았기 때문이다. 이것은 어디까지나 비교에서 나온 불평이었다. 자신의 의(義)로 포도원 주인의 은혜를 판단하고 불평한 것이다.

교회를 떠났다가 돌아온 어느 분의 간증을 들은 적이 있다. 그는 학창 시절 교회에서 이 비유에 대한 설교를 들었을 때, 의심을 넘어서 분노가 일었다고 한다. 어린 시절부터 교회에 나와 교회를 섬긴 사람과 느지막하게 주님을 믿은 사람이 똑같은 대우를 받는다면 그처럼 불공평한 일이 없다고 생각했기 때문이다. 하나님이 그렇게 불공평한 분이라면 믿을 가치가 없다고 판단한 그는 교회를 떠났다. 그리고 지극히 세상적인 삶을 살다가 나중에 나이 들고 어려울 때 다시 하나님께 돌아왔다. 그런 다음 생각해보니 자신이야말로 포도원에 가장 늦은 시간에 일하러 온 농부라는 사실을 깨달았다.

이 비유에서 우리가 오해하지 말아야 할 것은, 어느 누구도 하나님의 은혜가 없이는 구원을 받을 수 없다는 점이다. 우리는 모두 포도원에 마지막으로 불려와 품삯을 받은 사람들이다. '은혜' 그 자체가 아버지와 관계없는 자들에게는 불공평함이다. 그러나 아버지의 '불공평함' 이라는 그 은혜 때문에 내가 구원받을 수 있었다는 것을 기억해야 한다.

하나님의 다른 응답

하나님께 온전히 순종하지 못하는 이유 중 하나는 우리가 하나님에 대해 품는 서운함 때문이다. 우리가 그토록 바라고 기도하던 것을 하나님께서 들어주시지 않았을 때, 하나님을 열심히 믿노라 했는데 내가 바라던 것과는 전혀 다른 결과가 나타나 실패를 맛보았을 때, 우리는 좌절한다. 그리고 하나님께서 우리를 돌아보신다는 사실을 의심하게 된다.

우리는 우리의 기대대로 움직이지 않으시는 하나님에 대해서 어떻게 반응하는가?

"나도 예전에 새벽기도 열심히 해봤어. 하지만 소용없더라고. 결국 시험을 망쳤어."

"내가 그 아이와 헤어지지 않게 해달라고 얼마나 열심히 기도했는데, 하지만 하나님은 내 기도를 들어주지 않으셨어."

"내 아들딸 대학교만은 꼭 서울에 있는 대학으로 가야 한다고 그토록 새벽기도를 드리며 매달렸건만 소용없었어."

"열심히 믿어봐야 결국 안 믿는 사람하고 다를 게 없었어. 오히려 손해가 더 많은 것 같아."

이처럼 기도했지만 기도응답을 받지 못한 경험으로 생긴 상처가 있을 수 있다. 그래서 하나님에 대해 오해하여 쓴뿌리가 생긴다. 그 결과 하나님께 헌신하는 일에 어느 정도 선을 긋는다. 신앙생활에도 나만의 영역을 정해두는 것이다.

"이 이상 넘어가면 안돼! 이 안에서 나는 안전하게 있을 거야"라면서 적당히 안주하는 신앙생활을 추구하기도 한다.

하나님께서는 왜 특정 상황에서 우리의 기도를 들어주지 않으실까? 우리의 뜻과 하나님의 뜻은 다르다. 그렇기 때문에 때로는 주님께서 우리의 기도를 우리가 원하는 방식이 아닌 다른 방식으로 응답하신다. 그러나 먼저 분명히 해둘 것은 하나님은 세심하게 우리의 상황을 살피시고 최선의 것으로 우리에게 주시는 분이라는 점이다.

우리의 필요를 잘 아시는 하나님

2007년 봄 어느 토요일에 우리는 차를 타고 당일치기로 베르흐교회를 찾아 떠났다. 베르흐의 교회가 약해지고 또 낙심하여 하나님을 떠난 사람들이 있다는 이야기를 듣고 나는 마음이 아팠다. 나는 이레교회의 집사님 세 분 그리고 아빠와 같이 있는 시간이 적은 나의 아이들까지 데리고 길을 나섰다.

전날 비가 온 상황이라 길이 몹시 질척거렸다. 그런데 낮은 지대를 통과하던 중 그만 차가 진흙 구덩이 속에 빠지고 말았다. 바퀴 두 개가 잠기고 차가 점점 기울면서 흙이 차 문까지 차올랐지만 차는 계속 헛바퀴만 돌 뿐 빠져 나오지 못했다. 나는 일단 사람들을 대피시키고 차가 더 이상 가라앉지 않도록 하려고 애썼다. 몇 사람은 주변으로 흩어져서 돌을 찾아 진흙 바닥을 덮어보려고 했지만 그다지 소용이 없어 보였다.

문득 기도 외에는 다른 방법이 없다는 생각이 들었다. 팀을 모으고 하던 일을 중단시킨 후 다함께 기도하기 시작했다. 온전히 하나님만 의지하는 기도를 드리며 하나님이 우리를 어떻게 도우실는지 긴장 반 설렘 반으로 기대하는 마음을 품었다.

기도하는 가운데 차가 지나가는 소리가 났다. 기도를 마치고 보니 우리가 소리쳐 부르기에는 너무 먼 거리였다. 차는 군용 지프였다. 그런데 신기하게도 그 차가 갑자기 우리와 200여 미터쯤 떨어진 몽골 전통 천막인 게르에 멈추어 섰다. 우리는 혹 그 게르 주인의 차인가 싶어 사람들을 보냈다. 밧줄로 우리 차를 끌어내줄 수 있는지 묻기 위해서였다. 잠시 후 우리는 그 차 덕분에 구렁에서 빠져나올 수 있었다.

나중에 알고 보니 차는 그 게르 주인의 것이 아니라 그냥 지나가던 차라고 했다. 단지 게르에 차를 세우고 잠시 쉬던 중이었다고 한다. 나는 그 차가 그곳에 선 것은 오직 우리 기도에 대한 하나님의 응답이었음을 깨달았다.

우리의 인생길에서도 진흙탕에 빠질 때가 있다. 이때 바퀴가 진흙에 빠지면 아무리 사륜 구동 차량을 가지고 있더라도, 아무리 엔진의 출력을 높여도 차 자체의 힘만으로는 빠져나올 수 없게 마련이다. 차가 빠져나오려면 외부의 힘이 필요하다. 바로 하나님으로부터 오는 도움이다. 이것을 겸손히 구하는 것이 기도이다. 하나님의 도우심을 구하는 것이 진흙 바닥에서 건짐을 받는 유일한 방법이다.

하나님은 우리 팀이 기도를 마치기도 전에 이미 역사하고 계셨다. 섬세하고 완벽한 하나님의 시나리오에 따라 우리는 난관을 넘어섰다. 하지만 어떤 경우에는 아무리 구해도 하나님께서 응답하시지 않을 때가 있다. 또는 응답하시더라도 원래 내가 원한 방식이 아닌 경우가 많다.

하나님은 때로 우리의 기도를 바로 들어주시지 않는다. 그래도 기도해야 하는 이유는 기도 가운데 하나님의 뜻을 보여주시고 우리의 뜻이 하나님의 뜻에 합하도록 인도해주시기 때문이다. 하나님은 우리의 기도를 매우 섬세하게 들으시고 우리의 상황을 돌보아주시며 우리가 난처함을 당하지 않도록 인도하시는 분이다.

나의 계획이 틀어져도 소망이 있는 이유

미국 출장과 남미의 집회를 마치고 몽골로 돌아가느라 인천공항에 도착해보니 몽골의 기상 상태가 좋지 않아서 비행기가 밤늦게 뜬다는 안

내방송이 흘러나오고 있었다. 오랜만에 자유시간이 허락되었다고 생각하니 출발이 늦어진 일도 그리 나쁘지만은 않았다. 나는 조용히 묵상하고 책을 읽으며 나만의 시간을 누리면서 이번 여행을 정리했다.

몽골에서 예상 밖의 일을 만나 그 결과 예상하지 못한 하나님의 선물을 경험해온 나는 하나님께서 내게 이런 일들을 허락하시는 데는 다 이유가 있다는 확신이 있었다. 비록 내 계획은 틀어졌지만 나는 깊은 평안 가운데 거했다.

지난 여행을 돌아보니 이번 여행 역시 시작부터 나의 계획은 크게 흔들렸다. 몽골을 출발하는 그 날도 큰 눈이 내려서 결국 출발이 하루 연기되었다. 덕분에 학교의 중요한 일도 처리했고 짐도 여유 있고 꼼꼼하게 다시 쌀 수 있어서 여행에 여러 모로 많은 도움이 되었다.

다음날 공항에 도착했을 때 내 여권이 없다는 사실을 깨달았다. 학교 일을 마치고 집에 들러 짐을 챙겨서 부랴부랴 공항으로 나오다가 책상 옆에 잘 챙겨두었던 여권을 잊은 것이다. 비행기 출발 시간이 한 시간 남짓 남은 시점이었다. 비행기를 놓치면 출장이 엉망이 될지 모른다는 긴장감이 엄습했다.

나는 아내가 전화를 받을 수 있기를 바라며 아내의 연구소로 급히 전화를 걸었다. 마침 아내가 전화를 받았고 또 차를 태워주실 만한 분이 바로 옆에 계셨다. 그 분의 도움으로 아내는 집에서 여권을 챙겨서 40분 만에 공항으로 달려왔고 나는 탑승 수속이 마무리되기 직전에 무사히 수속을 마칠 수 있었다. 주님의 은혜였다. 내 실수에도 불구하고 주님은 대비책을 마련하고 계셨던 것이다.

도착이 하루 늦어진 상황에서 하나님은 미국 미주리대학에서 나를 기다리고 있던 분들의 마음을 준비시켜주셨다. 원래 학교에서 학술 발표를 하고 그 후 교회에서 집회를 갖기로 되어 있었는데, 집회를 먼저 하고 주일 오후에 발표까지 하게 되어 하나도 놓친 것이 없이 더 좋은 결과를 맺었다.

여행 기간 내내 나의 계획은 줄곧 틀어졌다. 그러나 감사하게도 그 과정을 통해서 하나님의 계획이 이루어졌다. 또 앞일에 대해서도 내가 막연히 그렸던 계획은 지워지고 희미해져 갔지만 주님의 계획이 드러나리라는 사실을 신뢰할 수 있었다. 그래서 나는 내 계획이 틀어질 때마다 기대감이 생긴다. 하나님께서 내 삶 가운데 일하시는 것을 확인할 수 있기 때문이다.

고난과 광야학교의 복을 깨닫는 믿음

내가 2006년 12월까지 약 2년 반 동안 섬겼던 이레교회에 툭수라는 청년이 있었다. 신학교에 다니는 그는 교회에서 철몽이라는 자매를 만나 2007년 1월 말에 결혼했다. 결혼 직후 툭수와 철몽은 갑자기 큰 어려움을 당했다. 철몽의 어머니 집에 강도가 들어 어머니가 칼에 찔려서 2월 1일에 돌아가신 것이다. 이 일로 철몽은 큰 충격을 받았다. 더욱이 툭수가 몸이 좋지 않은 상태에서 철몽과 함께 부모님이 계시는 에르트네트에 갔다가 거기서 결핵이라는 진단까지 받았다.

한국 출장을 마치고 돌아온 나는 철몽을 만났다. 철몽에게는 이 모

우리는 모두 포도원에 마지막으로 불려와 품삯을 받은 사람들이다.
'은혜' 그 자체가 아버지와 관계없는 자들에게는 불공평함이다.
그러나 아버지의 '불공평함' 이라는 그 은혜 때문에
내가 구원받을 수 있었다는 것을 기억해야 한다.

든 상황이 너무 버겁고 힘에 겨웠을 것이다. 철몽은 하나님의 섭리를 이해하기 힘들어 했고 하나님을 향한 배신감도 느끼는 것 같았다. 초신자인 철몽에게 연단이나 연단 후의 소망에 대해 이해하기를 기대하기란 어려운 일이었다. 그녀가 울란바토르에서 모든 일을 정리하고 교회도 떠나 당분간 홀로 되신 아버지가 계시는 에르트네트로 가서 살겠다고 했을 때 나는 할 말이 없었다.

몇 주 후 철몽과 함께 에르트네트에 머물던 톡수가 울란바토르로 나를 찾아왔다. 톡수와 함께 이야기하는데 눈물이 많이 났다. 톡수는 에르트네트의 병원에 있으면서 주말에는 철몽의 집에 갔는데 사위가 결핵을 앓고 있다는 것이 철몽의 아버지인 톡수 장인의 눈에 좋지 않아 보인 것 같았다. 그 분의 입장에서는 신학을 공부한다고 하고 생활력도 없어 보이는 톡수를 사위로 인정하기보다 딸과 헤어지게 하고 싶었을 것이다. 철몽은 철몽대로 아내를 잃고 힘들어 하는 아버지를 위로하느라 눈치를 살폈고, 아버지의 뜻을 거스르지 않게 행동하려다보니 관계가 어려운 것 같았다.

그 와중에 톡수는 병원에서 세 청년을 전도했다. 그 청년들은 미래에 대한 소망도 없고 삶의 의미도 알지 못한 채 죽기를 기다리는 사람들이었는데, 전도를 받고 나서 하나님을 순전히 알아가기를 열망하게 되었다고 한다. 톡수가 읽던 성경책을 빌려가서 달라고 할 때까지 돌려주지 않고 계속 읽을 정도로 그 청년들은 성경읽기에 몰두했다. 며칠 전부터는 톡수에게 기도하는 법을 배워서 기도하기 시작했다.

툭수는 자신이 아픈 것이 이 사람들 때문인 것 같다고 말했다. 하지만 다른 방법도 있을 텐데 하나님께서 왜 이 방법을 택하셨는지 의문이 든다고 덧붙였다. 나는 툭수가 어려운 상황 가운데서도 조금씩 성장하고 있다고 느꼈다. 나는 대답했다.

"그 영혼이 너무나 귀하기 때문에 그만한 대가가 필요한가보다. 아마 그 사람들이 몽골에서 할 일이 너무 크고 귀하기 때문이겠지…. 지금은 그 아픔의 의미를 다 알 수 없어. 하지만 하나님께서 가르쳐주실 날이 있을 거야."

툭수가 겪는 어려움이 그 사람들의 구원을 위해서일 수도 있다. 하지만 더 큰 이유도 있을 것이다. 나는 알았다. 하나님의 대답이 이와 같으리라는 것을….

"내가 너에게 왜 힘든 길을 주는지 아니? 너에게 연단이 필요하기 때문이란다. 네가 광야학교를 거치면서 너의 자아가 깨어지고 새롭게 태어나지 않는다면 내가 너를 사용할 수 없기 때문이란다. 네가 깨어지지 않으면 너는 나와 그 이상의 관계를 맺을 수가 없단다! 너에게 왜 이렇게 힘든 일이 일어나는지 아니? 그것은 내가 너를 특별하게 생각해서 주는 너의 성장을 위한 과정이란다!"

그렇지만 그 당시에는 아직 말할 수 없었다. 그가 이 사실을 이해하기에는 더 많은 세월이 필요했고, 하나님을 더 알아가야 하기 때문이다.

툭수는 여전히 넘어지고 깨어지고 사투를 벌이며 많은 날들을 보내고 있다. 하나님께서 왜 그런 연단의 과정 가운데 그를 두셨는지는 아마

이 날들이 다 지난 후에야 알 수 있을 것이다. 이 과정을 지켜보면서 나는 우리가 아픔 가운데 어떻게 반응하는지 보면 평소 우리가 하나님께 드리는 고백이 얼마만큼 진정한 것인지 알게 되리라는 것을 깨달았다.

몽골국제대학의 고난 가운데 역사하신 하나님

하나님께서 어려움이나 문제를 허락하시는 이유 중 하나는 우리가 성장하도록 축복하시기 위해서다. 나 역시 몽골국제대학교 사역 중 고난이 때로 '변장한 축복'임을 경험했다.

몽골국제대학교에서 개교 이래 처음으로 몽골 교직원과 국제 사역자들이 다함께 모여서 개강예배를 드렸다. 그 전에는 외부의 눈치를 보느라 다 같이 모여서 예배드리지 못했다. 학교의 종교적 색채를 경계하는 정부 방침 때문이었다.

그날 아침예배를 준비하며 기도하는 가운데 나는 하나님의 깊은 만지심을 느꼈다. 하지만 예배가 끝날 무렵 머리가 지끈거리면서 영적 전쟁을 예감했다. 이 현상은 몽골에서 사역하며 자주 경험한 것이다. 예배 사회를 마치며 나는 "자, 오늘의 전투를 치르러 갑시다"라고 말했다. 그리고 얼마 못 되어 우리는 진짜 치열한 영적 전투를 맞이했다.

학생연맹이 사주하여 동원한 수십 명의 건장한 사람들이 학교로 들이닥쳤다. 그들은 대학교 교무실을 폐쇄하고 교실의 학생들을 강제로 불러내 강당으로 모이게 했다. 학생들 특히 1학년들을 선동하여 등록금 인상이 부당하다는 사실을 시위하도록 한 것이다.

학교에서는 올해 물가 인상률을 반영하여 등록금을 10퍼센트 인상했다. 1학년의 경우 등록금 액수가 가장 많았다. 입학금을 포함하여 1년에 850불이 된다. 몽골의 일반 대학교 등록금에 1.5배나 되는 금액이다. 그러나 외국인이 영어로 가르치는 학교로 치자면 몽골국제대학교의 등록금은 몽골은 물론 아마 세계에서도 가장 쌀 것이다. 학교의 등록금 의존율은 28퍼센트에 불과하다. 자비량으로 온 교수 사역자의 월급까지 계산에 넣을 경우 등록금 의존율은 더 떨어진다.

나중에 알고 보니 이 학생연맹은 '공산당 우산' 아래 있는 정치 행동대였다. 공산당 정치인들 중에는 이 학생단체장 출신들도 많다고 들었다. 이 집단은 공산당 정치인으로 성장하는 관문 역할도 하고 또 공산당 국회의원 선거에서 전위 부대 역할도 하기 때문에 그 위세가 당당했다. 이 학생연맹을 두려워한 보통의 사립대학들은 1년에 통상 1천 불 정도를 기부하는 것으로 때우는 경우가 많다. 몽골국제대학(MIU)도 첫 두 해 동안 그 관행을 따랐으나 이를 끊자 그것이 일부 문제가 된 것 같았다.

전해 들은 바로는 이 단체가 불법 자금 운용과 관련, 하부조직으로부터 비난을 받자 그것을 무마하기 위해 외부 투쟁을 강화하기로 결정했는데 그 표적 중 하나가 외국계 대학인 몽골국제대학이라는 것이다.

학교에 난입한 이들은 교직원을 위협하며 폭력을 행사하려고 했다. 경찰에 전화했지만 늑장 출동했고 고작 한 명만 왔을 뿐이었다. 결국 한국 대사관에 연락했더니 그제야 경위를 한 명 더 보내주었다. 그들 말이 이들은 잡아넣어 봐야 다시 풀려 나온다는 것이다. 경찰은 학교를 도울

의사가 전혀 없어 보였다.

그들은 자기들이 부른 조직원들을 학생들과 함께 강당에 몰아넣고 등록금 인상에 반대한다는 것과 학교가 부조리한 집단이라고 선동하게 하여 그 장면을 비디오에 담았다. 그 와중에 우리 학생들이 항의하며 외부인들은 나가달라고 하자 외국 세력의 앞잡이라며 입을 막아버렸다. 나를 위해하려는 조직원도 있었는데 학생과 직원들의 저지로 그러지 못했다.

학교가 개강 첫 날부터 쑥대밭이 되었는데도 전혀 법적 보호를 받지 못하는 상황을 보면서 처음에는 속이 많이 상했다. 사역자 중에는 이렇게까지 하면서 몽골 사람들을 섬겨야 하는지 회의를 품는 이들도 있었다. 또 아예 학교를 운영하지 않겠다, 철수하겠다는 식으로 맞서자는 의견도 있었다. 그러나 이것이 영적 전쟁임을 자각하자 다들 조용히 기도하게 되었다. 배후에 있는 사탄을 대적하는 기도를 계속했다.

학생연맹이 언론사에 연락을 해놓았기 때문에 기자들이 들이닥쳤다. 그들의 각본은 이것을 사회 문제로 부각시켜서 자신들이 학생 복지를 위해 얼마나 분투하는지 그 투사상을 드러내고 우리를 사회 여론으로 압박하려 한 것 같다. 다행스러운 것은 언론사 관계자들이 오자 저들의 폭력적인 태도가 사라졌다는 것이다. 기자들 중에는 이미 학생연맹 측에서 보내준 자료로 원고 작성까지 마치고 형식적으로 사진을 찍으러 온 사람들도 있었다. 이들은 다음날 우리가 기사에 대해 항의하면 돈을 내면 기사 내용을 바꿔주겠다는 식으로 반응했다.

일단 학생연맹 측은 그 날 우리의 답변을 기다린다고 하면서 사흘 말미를 주고 다시 오겠다며 물러갔다. 돌아가면서도 이들은 총장님에게 죽일 수도 있다고 위협했다. 총장님은 이 땅에서 학교를 운영하며 이미 여러 차례 신상의 위협을 받았고 수차례 명예훼손을 당한 적이 있었다. 나중에 들으니 이 집단은 그 폭력성으로 야당 정치인들에게까지 악명이 높았다.

우리는 비이성적인 집단들과 싸워나가야 하는 일에 마음의 부담을 느꼈다. 비열하고 정치적인 인간의 모습을 보면서도 여전히 몽골 사람들을 사랑하고 또 이 땅을 향한 하나님의 계획을 신뢰하며 나아가는 영적 싸움을 벌여야 했기 때문이다.

외국인으로서 언론을 상대해야 하는 부담도 컸다. 몇몇 신문사와 방송이 학교에 대한 거짓 정보에 기초한 부정적인 기사를 냈다. 그 때문에 학교 명예가 실추되고 정부 관료들이 학교를 의심의 눈초리로 보게 되었다. 언론에서도 우리 학교를 종교 집단으로 몰아 학교를 불리한 위치에 놓으려고 했다.

더욱이 학생연맹이 쳐들어오기 전에 학교에 대한 투서를 써서 부정적인 내용을 전달한 사람이 다름 아닌 우리 학교 학생 간부 중 몇 명이라는 사실이 밝혀졌다. 이들이 학교에 대해 무언가 오해하여 거기에 앙심을 품고 학교를 어렵게 만들 작정을 한 것이다. 나중에 실수임을 알고 일을 돌이키려 했을 때, 이미 사태는 이들이 해결할 수 있는 차원을 훨씬 넘어서고 말았다. 이 일로 무리는 우리가 아무리 노력해도 학생들이 쉽사리 바뀌지 않는다는 사실에 절망스러웠다. 섭섭한 마음이 커지면서 하나님께 이렇게 기도했다.

"하나님, 힘이 많이 드네요. 만일 내일 우리 교직원 중에 한 명이라도 다치는 사람이 생기면 저 몽골 사역 그만두라 하시는 것으로 알겠습니다."

이렇게 기도하자 성령님이 주시는 부담감이 밀려들었다. 곧 기도가 잘못되었다는 생각이 든 것이다. 교직원들이 다치지 않기를 바라는 마음은 알겠지만 그것이 하나님과의 거래 조건이 되어서는 안 된다는 것을 깨달았다. 마치 내가 하나님보다 더 그들을 생각하는 것 같은 태도, 그것은 하나님에 대한 나의 불신이자 교만이었다. 그리고 하나님이 주신 사역을 마치 거래 대상처럼 생각하는 것도 지나치게 가벼운 처사였다. 나는 하나님께 다시 구했다.

"하나님, 아시잖아요. 우리 힘으로는 아무것도 할 수 없음을 다시 한 번 절감합니다. 우리는 주님의 도우심이 없이는 아무 사역도 할 수 없는 어린아이 같은 자들입니다. 하나님께서 우리를 얼마나 생각하고 돌보시는지 이번 사건을 통해서 분명히 세상 가운데 알려주시기를 원합니다."

고난은 이면적 축복이다

나는 학교에서 벌어진 이 놀라운 일을 통해서 환난 중에도 즐거워하라는 말씀을 더 잘 이해할 수 있게 되었다.

첫째, 이 일로 학교 교직원 전체가 연합하여 기도에 더욱 힘쓸 수 있었다. 사역자 예배 때, 많은 교직원들이 울며 기도했다. 총장님을 위해 기도하며 다같이 울었다. 그 가운데 치유가 임했고 또 연합의 불길이 타

올랐다. 실은 학교 내부적으로 사역자들 간에 갈등이 있었는데 이 사건을 계기로 정리되었을 뿐만 아니라 교수님 사모님들 사이에 다소 불편했던 관계도 이 일로 다시 연합해서 중보기도 하는 모임이 생겨났다.

둘째, 이 사태를 통해서 몽골국제대학교가 몽골 전체에 널리 알려져서 우리 학교를 모르는 사람이 없게 되었다. 감사하게도 비교적 건전한 방송사와 신문사들이 연결되어 인터뷰와 정정 방송을 보도해주었다. 학부모들도 이전의 타 방송 보도 내용이 잘못되었다는 정정 인터뷰를 했다. 이로써 많은 사람들 사이에 교육의 질이나 열린 교육 기회에 비해 학비가 엄청나게 싸다는 정반대의 인식까지 생겨났다.

기도하고 준비하는 가운데 긴장된 금요일이 돌아왔다. 때마침 금요일 토요일 양일에 교직원 수련회가 예정되어 있었기 때문에 교직원들을 수련회 장소에 보낸 다음 리더십들만 학교에 남아 문제를 해결할 생각이었으나 교직원들이 수련회 시간을 늦추고 모두 근무하겠다고 남았다.

그런데 내 마음에는 그 날 그들이 오지 않으리라는 예감이 들었다. 그래서 몽골 직원에게 그들이 정말 오는지 확인하도록 했다. 직원은 조금 전에 전화했는데 그들이 틀림없이 오겠다며 막 출발하는 중이라고 했다고 한다. 하지만 나는 여전히 이들이 오지 않으리라는 생각이 들었다.

결론부터 말하면 그들은 우리 학교에 올 수가 없었다. 오기로 예정되었던 바로 그 시간에 학생연맹 사무실에 돌이 날아들고 사무실 주변이 난장판이 되었다. 많은 방송사에서 그 장면을 보도하러 모여들었다. 연맹 간부들이 학생들의 기차표 할인 혜택을 회원들에게 전부 돌리지 않고 일부 횡령한 사실이 밝혀지면서 성난 회원들의 항의로 학생연맹이 어려움을 겪게 된 것이다. 특별히 국립농과대학에서 학장을 감금하고 학교 유리창을 깨고 폭력을 행사한 것이 문제가 되어 그 학교 학생들이 연맹 사무실을 난장판으로 만들었다. 뒤이어 이 사건이 여론에 악영향을 미쳐서 결국 검찰이 학생연맹 간부들을 조사하기 시작했다.

이 일은 우리에게 말미를 주고 다시 학교로 쳐들어오겠다고 한 그 날 하루 동안에 벌어진 일이었다. 학교나 교직원 누구도 털끝 하나 다치지 않았다. 우리의 기도를 들으신 하나님께서 그들을 흩으신 것이다. 문득 기드온이 미디안 족속과 싸우기 전에 하나님께서 미리 그들 가운데 분열을 일으키셔서 그들을 흩으시는 장면이 떠올랐다. 나는 하나님이 우리를 기억하시며 우리의 기도를 들으시고 응답하셨음을 다시 경험하며 감사했다. 이 일을 통해 우리 안에 주님의 은혜와 연합을 향한 열심 주심을 깊이 감사드렸다.

그 날 교직원 수련회 예배 중에 우리 사역자들은 학생들을 더욱 사랑할 수 있게 해달라고 기도했다. 기도회를 인도하던 총장님은 더 나아가 학생연맹을 적으로 보고 대적하기보다 그들이 잘 되고 또 학생들을 위한 권익기구로 거듭날 수 있게 해달라고 기도했다. 총장님은 우리가 더 양보하고 또 수업료도 일부나마 낮추어주자고 제안했다. 개인적으로 나 역시 진심으로 그들을 마음의 매임에서 풀 수 있어서 감사했다. 이곳에 있는 동안 이들에게 당해주고 속아주고 그러면서도 그들을 품는 것이 우리가 이 땅에 온 목적 중 하나라고 생각했다. 악을 선으로 바꾸시는 하나님, 하나님의 그 선하신 일이 온전히 성취되도록 우리는 땅에서 매인 것을 풀며 악을 악으로 갚지 말고 선한 일에 힘써야 한다는 것을 다시 한 번 깊이 느꼈다.

핵심은 성공이 아니라 순종이다

하나님이 명하시는 대로 순종했지만 일이 잘못되었을 때, 나는 어떻게 반응하는가? 또는 가족이 중병에 걸리거나 불의의 사고로 세상을 떠났다면 전능하신 하나님의 섭리를 어떻게 받아들일 것인가? 사랑하는 이에게 이토록 무의미해 보이는 고통을 허락하신 하나님이 섭섭하고 그 하나님을 원망할 수도 있다. 내 삶의 목표가 평안과 행복이라면 고난을 당할 때마다 하나님의 섭리에 절망하여 하나님이 야속하게 느껴지기도 할 것이다.

샤머니즘의 환경 가운데 있는 몽골에서 초신자들이 받아들이기 어려운 일이 있다. 믿음 후에 오는 연단과 고통의 문제에 직면하는 것이다. 이들은 하나님을 믿고 난 직후에 오는 축복을 기대한다. 이 기대가 어긋나면 신앙을 버리는 경우가 있다. 그런데도 하나님께서는 바로 축복을 주시기보다 많은 경우 믿음의 연단부터 주신다. 이로써 옥석을 가리신다. 하나님을 믿는 동기를 살피시고 또 그들의 믿음의 순도(純度)를 점검하신다. 우리가 환경과 상황을 보고 나서 잘 풀려야 하나님을 믿는다면 그것은 우리가 환경을 믿는 셈이 된다.

하나님은 하나님의 뜻대로 행하기만 하면 모든 일이 내가 바라는 대

악을 선으로 바꾸시는 하나님,

하나님의 그 선하신 일이 온전히 성취되도록

우리는 땅에서 매인 것을 풀며

악을 악으로 갚지 말고 선한 일에 힘써야 한다.

로 잘 풀릴 것이라고 약속하지 않으셨다. 오히려 하나님의 뜻에 순종한 많은 성경의 인물들이 이후 연단의 불 속으로 들어가는 것을 우리는 성경에서 확인할 수 있다.

아브라함이 하나님께 순종하여 가나안 땅에 들어간 후 만난 것은 기근이었다. 이삭도 하나님께 순종하여 가나안 땅에 머물면서 흉년을 만나게 되었다. 야곱의 축복도 고난이 전제되었다. 사무엘이 다윗에게 기름을 부은 후 다윗을 기다리고 있던 것은 사울 왕으로부터 받는 연단이었다.

조이 도우슨이 말한 대로 핵심은 바로 "성공이 아니라 순종이다."

예수님보다 더 큰 상처를 받은 사람이 있는가?

세례 요한과 예수님은 자신에게 퍼부어진 온갖 불의에 대한 하나님의 무응답을 경험했다. 이때 세례 요한과 예수님이 어떻게 반응했는지 주목해보는 것이 중요하다.

세례 요한은 끝까지 충성한 겸손한 사람이었다. 그는 자신의 사촌 예수님이 무명 시절, 그가 자신의 뒤에 오실 그분이심을 믿었다. 그리고 철저히 그분을 예비하는 사역을 했다. 자신의 사역과 제자들을 그분께 양보했으며 사역에서 오는 인기도 포기했다.

그런 그가 헤롯에 의해 허무한 죽음으로 세상을 마치게 되었을 때 하나님께서는 그의 무고한 죽음을 허락하셨다. 세례 요한이 형장으로 끌려갈 때 그는 어떤 심정이었을까? 그의 삶과 죽음의 이유에 대해 하나님께 뭐라 질문했을까? 하나님은 과연 그 질문에 답하셨을까? 그렇다면 그

답은 어떤 것이었을까?

세례 요한은 많은 것을 포기했다. 하지만 하나님께서는 끝까지 포기하게 하셨다. 많은 사람들의 눈에 세례 요한은 하나님으로부터 철저히 버려진 것 같았다. 이해할 수 없는 하나님의 방식과 침묵하시는 하나님에 대해 우리 가운데 많은 이들이 실망해본 경험이 있을 것이다. 특별히 다른 사람의 죄악 때문에 피해자가 되었을 때 우리는 어떻게 반응하는가?

"하나님, 왜 이렇게 불공평하세요? 주님을 잘 믿고 싶었던 나와 우리 가족에게 어떻게 이러실 수 있어요?"

무정하게 우리의 마음을 상하게 한 사람들을 향한 분노는 결국 그것을 허락하신 전능하신 하나님에 대한 원망으로 이어진다. 이런 경험으로 우리는 하나님의 주권에 대한 부담감을 갖게 된다. 온전한 순종이 일어나지 않는다. 내 안에 해결되지 않은 원망이 있으면 마음속 깊은 곳에서 "완전하신 나의 주, 행하신 모든 일 완전하시다"라는 고백이 나오지 못한다.

세례 요한의 무고한 죽음은 결국 예수님의 삶을 통해서만 온전히 해석될 수 있다. 왜냐하면 그의 삶은 예수님의 죽음을 예표(豫表)하는 삶이었기 때문이다.

예수님 역시 십자가에서 하나님으로부터 철저하게 버려진 듯한 상황으로 들어가셨고 그 가운데 죽으셨다. 예수님께서 "나의 하나님, 나의 하나님, 어찌하여 나를 버리셨나이까"라는 시편의 말씀으로 하나님께 질문했을 때, 예수님은 철저한 하나님의 침묵과 외면을 경험하셔야 했다.

예수님은 인간의 고통과 이해할 수 없는 모든 상황을 고스란히 온몸으로 겪으시며 그 저주를 다 받으셨다. 하나님 스스로 그 모든 고통의 짐을 다 받으셨다.

하나님은 당신의 아들이 십자가에서 고통 가운데 외치는 그 소리에 응답하지 않으심으로써 우리에게 침묵하신 이유가 있었음을 설명하셨다. 이것이 수없이 억울한 아픔을 겪어야 했던 사람들에 대해 위로가 된다.

미국의 1.5세 청년들을 대상으로 집회에서 말씀을 전하는 가운데 상처받은 청년들의 마음이 느껴졌다. 그때 주님의 말씀을 듣고 나는 담대히 그 상처들을 건드릴 수 있었다. 나는 이렇게 말했다.

"이 가운데 예수님보다 더 큰 상처를 받은 사람이 있습니까?"

고난을 낭비하지 말라

욥은 이해할 수 없는 고난 가운데 처했던 인물이다. 욥은 하나님이 인정하시는 의인이었다. 행위가 선한 사람이었다. 그에게 어느 날 극심한 고통이 찾아오기 시작한다. 욥은 경건한 사람이었기 때문에 하나님을 원망하는 말을 하지 않았다. 하지만 원인을 알 수 없는 고통 중 대답지 않으시는 하나님에 대한 의심과 서운함이 생겼다. 그의 아내는 차라리 하나님을 저주하고 죽어버리라고 말했다.

먼 곳으로부터 친구들이 찾아왔다. 그들은 욥이 고난 받는 이유가 숨긴 죄 때문이라고 말하며 죄를 회개하도록 권했다. 그러나 욥은 아무리 생각해도 고난에 합당한 죄가 생각나지 않았다. 알 수 없는 죄를 회개할 수는 없는 노릇이었다.

그 가운데 주님이 찾아오셨다. 하나님은 누가 옳다고 말씀하시지 않았다. 욥이 고난 받는 이유에 대해 그것이 하나님께서 사탄과 내기했기 때문이라고도, 욥이 죄를 지었기 때문이라고도, 그가 의인이기는 하지만 다른 이유가 있었다고도 말씀하시지 않았다. 하나님은 다른 것을 말씀하셨다. 욥기 38장부터 40장에 이르기까지 하나님이 물으신 핵심은 다음과 같다.

"네가 이 세상을 창조하고 움직이는 나를 이해할 수 있는 존재냐? 네가 나를 이해할 만큼 능력을 갖추었느냐?"

이 내용은 "변박하는 자가 전능자와 다투겠느냐 하나님과 변론하는 자는 대답할지니라"라는 욥기 40장 2절로 요약된다. 여기서 우리는 우리의 기대대로 움직이지 않으시는 불가해(不可解)한 하나님을 만나게 된다. 우리는 하나님의 뜻을 온전히 이해할 수 없는 존재이다. 그렇기 때문에 우리에게 주어지는 고통의 이유 역시 다 알 수는 없다.

욥은 자신이 받는 고통의 이유를 다 이해할 수는 없지만 하나님의 주권을 신뢰하게 되었고, 그때 그의 상함이 치유되고 하나님을 새롭게 경험하게 되었다. 이 연단의 과정에서 욥은 주님을 신뢰하여 더욱 새롭게 주님을 만나 변화되었다. "내가 주께 대하여 귀로 듣기만 하였삽더니 이제는 눈으로 주를 뵈옵나이다"(욥 42:5)라고 고백하게 되었다. 자기의가 죽고 하나님의 의가 그 안에 자리 잡은 것이다.

하나님은 지혜가 부족한 우리의 방식대로 움직이지 않으시기 때문에 더 신뢰할 만한 분이시다. 하나님은 우리를 사랑하시고 우리의 세계를 통치하신다. 욥기의 교훈은 주님을 신뢰하는 가운데 현재의 상황을 허락하신 이유를 밝혀주실 때까지 인내로 기다리라는 것이다. 이것이 현재 우리가 받는 고난을 낭비하지 않는 비결이다.

내가 몽골에서 경험한 바로는, 위기와 고난이야말로 하나님이 우리에게 가장 강력하게 말씀하시는 순간이다. 주님은 때로는 침묵을 통해서도 우리에게 중요한 메시지를 전달하신다. 우리는 우리가 겪는 모든 고통을 다 이해하지 못할는지도 모른다. 하지만 분명한 것은 우리가 이 세상을 떠나 하나님의 나라에서 하나님을 만날 때, 하나님께서 우리의 눈물을 닦아주시리라는 점이다. 하나님나라에 가기 전에 고통의 의미를 깊이 깨닫는 기쁨을 얻는 자도 있을 것이다. 하지만 어떤 사람은 아마 하나님을 뵙고서야 우리가 겪어야 했던 고통의 진정한 의미를 깨닫고 그 고통마저 감사하게 될 것이다.

9장 하나님은 일의 성과가 아니라 마음을 원하신다

아들인가?

큰아들은 자기의 권리를 주장하며 아버지에게 자신의 봉사 대가를 요구했다. 누가복음 15장 29절에 보면 그는 "내가 여러 해 아버지를 섬겨 명을 어김이 없거늘"이라고 주장한다. 영어성경으로 살펴보면 그 의미가 좀 더 분명하게 다가온다. "I have been slaving for you", 즉 "내가 아버지를 위해 오랫동안 노예처럼 일했다"는 것이다. 큰아들은 아들의 마음이 아닌 품꾼의 마음을 가지고 있었다. 큰아들은 열심히 노예처럼 일하면서 내가 하는 일이 나와 아버지의 관계를 맺어줄 거라고 착각했다. 그래서 자신이 일한 만큼 아버지가 더 많은 관심을 가져주기를 바란 것이다.

"내가 아버지 밑에서 이만큼 일했는데 보상을 해주셔야 하지 않나요? 그런데 어떻게 그동안 놀고먹은 동생한테 보상을 주실 수 있어요? 불공평하잖아요!"

우리는 은혜를 받고 신앙생활을 하더라도 어느 정도 시간이 지나고 나면 힘들어진다. 대부분 교회에서 일하다 지친다. 어느새 일 중심의 사람으로 바뀌어 있는 자신의 모습을 발견하게 되는 것이다. '주일 아침부터 밤늦도록 열심히 일하면 아버지가 나를 더 사랑해주시고 인정해주실 거야' 라고 착각하기 때문이다.

큰아들은 "아버지는 당신 자신을 위해 일해주는 것을 좋아하셔. 그러니 내가 죽어라고 일하면 나를 인정해주시겠지"라고 아버지를 오해하고 있었다. 그렇기 때문에 아버지의 대가 없는 사랑에 반응하지 못했다. 그리고 형제 중 아버지의 관심을 더 많이 차지하는 것 같은 동생에게 분노하고 또한 그 마음 때문에 아버지를 원망한 것이다.

그런데 과연 큰아들이 그렇게 노예처럼 열심히 일한 근본적인 동기는 무엇이었을까? 아버지를 기쁘시게 해드리기 위해서였을까? 큰아들의 관심은 유산, 즉 아버지로부터 받을 자기 몫의 재산, 봉사에 대한 대가에 있었는지 모른다. '내가 열심히 일해서 아버지의 재산이 많아지면 결국 내가 더 많은 유산을 차지할 수 있을 거야' 라고 생각했을 것이다.

우리는 값없이 복음을 들었고 구원을 받았다. 그런데 어느새 이 큰아들처럼 내가 하는 일의 대가를 바라기 시작한다. 어떤 사람들은 우리가 매일 성경을 읽고, 훈련받고, 교회의 여러 사역을 위해 시간을 내는 일과 하나님을 향한 사랑이 정비례하리라 생각한다. 하나님의 일을 많이 하고, 영적으로 더 깊어지려고 말씀을 보고, 운전을 하면서도 찬양을 듣는다. 물론 은혜를 사모하는 마음으로 그렇게 하는 것은 바람직하고 귀한 일이다. 하지만 혹시 '내가 이렇게 하면 하나님이 나를 더 많이 사랑해주시지 않을까? 남들보다 나를 더 특별하게 대우해주시지 않을까?' 라는 동기가 밑바닥에 숨어 있다면 문제가 있다.

품꾼의 정신

한번은 어느 교회 집회에서 말씀을 전할 기회가 있었다. 그런데 예배 중 기도를 맡으신 분이 이런 표현을 쓰셨다.

"하나님이 귀히 쓰시고 특별히 사랑하는 이용규 선교사님을 위해 기도하오니…."

물론 나를 존중해주시느라 그런 표현을 하신 것은 감사하지만 오해의 소지가 많은 표현임에 분명하다. 하나님이 과연 누구를 더 특별히 사랑하실까? 그렇다면 하나님의 일을 더 많이 하는 사람일까? 우리는 자칫 하나님의 일을 하는 사람, 목사나 선교사를 하나님께서 더 사랑하실는지 모른다고 착각하는 경우가 있다. 그러나 하나님은 우리 각자에게 소명을 주셨다. 그렇기 때문에 각자의 소명이 다 귀중한 것이다.

하나님께서 우리에게 소명을 주시고 사명을 위탁하시는 이유는 우리를 성숙시키며, 우리와 더 깊이 연합시키기 위해서이지 우리의 도움이 필요해서가 아니다. 하나님께서는 맡은 일의 중요성 여부로 사람을 평가하지 않으신다. 또한 우리의 착한 행실을 보시고 우리를 더 사랑하시는 것이 아니다. 하나님의 사랑은 우리의 사역 정도와 비례하는 것이 아니다. 하나님의 사랑은 무조건적으로 부어지는 것이다. 우리가 하는 일과 무관하게 우리는 그저 하나님 앞에 용납되는 것이다. 하나님 앞에서 우리의 노력을 내려놓을 때 우리는 아버지의 임재하심 안에서 엄청난 사랑과 기쁨과 평안을 경험하게 된다.

'내가 자녀의 수능시험을 위해 새벽마다 기도하면 하나님께서 내 기도를 더 잘 들어주시지 않을까? 내가 이만큼 하니까 적어도 하나님이 이건 책임져주셔야 하는데?' 라고 생각한다면 그것은 하나님과 거래하는 것이나 마찬가지이다. 아이들이 "엄마, 내가 오늘 설거지할 테니 나 용돈 5천 원 주세요"라는 것과 비슷하다. 어머니를 돕겠다는 마음으로 일하는 것이 아니라 대가를 바라고 일하기 때문이다. 이것은 품꾼의 마음으로 일하는 것이다.

내가 일한 만큼 인정받지 못했을 때, 나는 한다고 했는데 다른 사람을 더 챙겨줄 때, 다른 건 몰라도 교회에서만큼은 내가 하는 일에 대해서 인정받고 싶었는데 오히려 핀잔을 들으면 더욱 속이 상하고 화가 난다. '내가 다시는 교회 일 하나 봐라! 당장 그만둔다고 해야지' 라고 흥분한다. 왜 그럴까? 이만큼 일하면 이만큼의 보상이 전제되어야 한다고 생각했기 때문이다. 값없이 주신 하나님의 은혜에 반응하며 아들로서 자유를 누린 것이 아니라 품꾼의 정신을 가지고 대가를 바라며 일한 것이다.

결국 이 큰아들은 잘못된 동기로 착하게 살아온 사람이다. 겉으로 보기에 아주 착한 아들인데 속에서는 그 영혼이 썩어가고 있으며 아버지와 더 이상 인격적인 관계도 맺지 못하고 있다. 큰아들은 이렇게 생각했을 것이다.

'나의 가치는 내가 하는 일에 달려 있어. 내가 세상에서 인정받고 성공하기 위해서는 내 가치를 높여야 해. 따라서 내가 하는 일만큼은 완벽해야 해!'

이런 사랑은 이 세상의 논리를 가지고 신앙생활로 들어와 자기도 힘들고 다른 사람들도 힘들게 한다. 그런 논리로 보니까 여기저기 잘못된 것이 보이고 판단해야 할 것들이 먼저 드러나는 것이다.

아버지와 선물

의외로 많은 사람들이 대가를 바라며 신앙생활 한다. 그래서 자신이 바라던 대가가 주어지지 않으면 힘들어 한다. 이런 사람들에게는 하나님을 믿고 그분과 교제하는 것이 목표가 아니다. 이 경우 아마 천국에 가서 실망할는지도 모른다. 왜냐하면 천국에서 우리가 하는 일은 대부분 하나님께 예배하고 그분과 교제하는 것이기 때문이다.

어떤 사람들은 천국 가기를 소원하며 그 때문에 교회에 나온다. 물론 귀한 소원이지만 거기서 멈춘다면 문제가 있다. 하나님께서 우리를 위해 아름다운 천국을 만들어두셨지만 천국에 하나님께서 계시지 않는다면 과연 우리는 그곳에 가려 할 것인가, 아니면 누추할지언정 하나님 계신 곳에 머물기를 원할 것인가? 우리 삶의 궁극적인 목표는 하나님을 믿는 대가가 아닌 하나님 자신이어야만 한다.

한번은 출장 중에 집에 전화한 적이 있었다. 만 네 살이 되어가는 둘째 서연이가 나와 통화하기 원했다. 서연이는 내가 몽골로 돌아갈 때 선물을 사서 가겠다는 약속을 기억하고 내 전화를 기다린 것이다. 서연이가 물었다.

"아빠, 내 선물 샀어요?"

그때 나는 서연이가 아빠를 기다리는지 선물을 기다리는지 궁금해졌다.

"서연아, 너 선물이 좋니, 아빠가 더 좋니?"

서연이는 주저하지 않고 대답했다.

"선물이요."

다시 물었지만 답은 똑같았다.

사실 서연이에게 필요한 것은 아빠다. 서연이는 그것을 몰랐다. 아빠만 있으면 선물은 저절로 따라오는 것이다. 설령 아빠가 선물을 가져오지 않더라도 아빠만 돌아온다면 서연이는 자신에게 필요한 것을 다 가질 수 있다. 아빠 없는 일회성 선물은 그 자체로 큰 의미가 없다. 하지만 아이는 눈에 보이는 것 이상을 생각하지 못했다.

그런데 우리도 때로는 아빠가 아닌 선물을 좋아하는 서연이 단계 이상 성장하지 못하는 경우가 있다. 우리는 주님을 이용해서 우리가 원하는 것을 이루려 하는 경향이 있다. 여전히 내가 내 인생의 주인 된 모습이다. 결국 이 상태로는 주님의 은혜를 입고 은사를 받아도 우리의 표면만 바뀐 것이지 본질은 변화되지 않은 것이다.

이 단계에서는 기도를 많이 해도 큰 유익이 없다. 우리가 주님과 깊이 교제하며 주님 한 분만을 깊이 사랑하지 못하면 우리는 자칫 리모컨 조정하듯이 기도할 수 있다. 주님을 사랑하기보다는 주님이 주시는 것에 관심이 더 많은 어린아이의 모습이다. "내 몫을 미리 주세요"라고 주장하는 둘째 아들의 모습이기도 하고 또 "여러 해 동안 아버지를 위해 일해왔다"고 강조하는 큰아들의 모습이기도 하다. 하나님을 자신이 조정할 수 있는 대상이자 내 유익을 채워주기 위해 존재하는 수단으로 여기는 것이다. 심지어 선교사나 교회 리더들에게도 이와 비슷한 현상이 나타날 수 있다. 구하는 것이 좀 더 선한 것일 뿐 방식에는 별 차이가 없어 보인다.

막강한 은사

올해 초, 은사를 주신 하나님께 감사하고 기뻐하며 기도에 힘쓰던 아내가 오래지 않아 기도가 막히는 시기를 맞았다. 어느 날 나와 아내는 집에서 기도회를 가졌고 그 기도회 가운데 하나님께서는 아내에게 귀한 깨달음을 주셨다. 다음은 아내의 고백이다.

> 내가 선물을 받기에 급급하여 받은 후 감사하는 마음보다는 당연하다, 받아야 할 것을 받았고 주셔야 할 것을 주셨다는 마음이 더 컸다. 몽골에 돌아와 기도하면서 은사를 더 키워야 한다는 마음으로 기도의 시간을 채우려 했지 하나님을 사랑하는 마음이 없었다는 것을 깨달았다. 너무나 부끄러워서 하나님께 나아갈 수가 없었다.

다음날 6시쯤 눈을 떴는데 마음이 무거워서 기도하러 일어날 수 없었다. 사랑하는 아빠가 사주신 장난감이 너무 좋아 주위 친구들에게 자랑하고 작동법을 익히느라 아빠에게는 눈길조차 주지 않은 어린아이 같은 나의 모습…. 그래서 하나님께서 나를 '아이야' 라고 부르시는지도 모르겠다.

남편과 함께 아침 6시 40분에 기도하기 시작했다. 마음이 눌려서 기도가 되지 않았다.

'하나님을 사랑할 수 있게 해주세요. 죄송해요. 하나님.'

하지만 오래 기도하지 못했다. 그날 나는 고린도전서 13장 1-3절을 다시 읽었다.

"내가 사람의 방언과 천사의 말을 할지라도 사랑이 없으면 소리 나는 구리와 울리는 꽹과리가 되고 내가 예언하는 능이 있어 모든 비밀과 모든 지식을 알고 또 산을 옮길 만한 모든 믿음이 있을지라도 사랑이 없으면 내가 아무것도 아니요 내가 내게 있는 모든 것으로 구제하고 또 내 몸을 불사르게 내어줄지라도 사랑이 없으면 내게 아무 유익이 없느니라."

여태껏 여기에 언급된 사랑이 이웃에 대한 사랑이라고만 생각했는데 나의 경우 '하나님에 대한 사랑' 으로 해석하는 것이 더 마땅하다는 생각이 들었다. 하나님을 사랑하지 않고 은사만을 사랑하는 것은 결국 아무 유익도 없음을 절감했다.

성령의 은사가 충만한 어느 목사님이 고백하기를, 하나님께 그저 하나님을 더 깊이 사랑할 수 있게 해달라고 기도했는데 은사를 주셨고, 그저 순교할 수 있게 해달라고 기도했는데 그때 은사를 부어주신 것이다. 은사를 욕심으로 구하지 않았기 때문에 은사를 유익하게 사용할 수 있을 뿐만 아니라 은사를 나누는 사역을 하게 되는 것이다. 그 목사님은 내게 은사 중에 가장 큰 은사는 '하나님을 사랑하는 은사' 라고 말씀하신 적이 있는데 나는 그 말씀에 전적으로 동감한다. 스스로 하나님을 사랑할 수 있는 사람은 없다. 하나님이 부어주셔야 가능하다.

그러나 많은 사람들이 하나님보다 은사를 더 추구하는 경향이 있다. 그 결과 은사는 받을지 몰라도 하나님의 사랑에서 떠나게 되는 경우도 보게 된다. 하나님보다 은사를 더 사랑하면 결국 자신의 유익을 위해 그 은사를 사용하게 되어 은사를 주신 근본 목적에서 벗어나게 된다. 우리의 관심은 언제나 하나님을 믿어서 주어지는 결과가 아닌 하나님 자신이어야 한다.

하나님의 눈으로 자신을 바라보라

우리가 왜 실패와 두려움과 거짓에 묶여 살아갈까? 대한민국 사회는 일등부터 꼴찌까지 줄을 세우는 문화이다. 그 문화의 영향으로 우리는 하나님의 눈으로 우리 자신을 보지 않고 세상의 기준에 따라서 우리를 보고 있다. 우리가 때로 교회에서조차 힘들어지는 이유가 무엇인가? '너와 나 사이에 누가 앞서 가느냐' 를 바라보기 때문이다. 거기에 붙들

하나님의 무조건적 사랑을 인지하고

하나님의 자녀 된 자존감을 회복하기까지 우리는 늘 갈등 속에서 살아간다.

그러나 우리가 사랑받기 위해 해야 할 일은 아무것도 없다.

우리는 나아갈 뿐이다. 구할 뿐이다. 그리고 우리는 받는다. 사랑은 선물이지 일에 대한 보상이 아니다.

려 있는 한 우리는 복음이 주는 진정한 자유를 누릴 수가 없다. 거기에 집착한다면 우리 자아가 죽은 것이 아니다.

우리는 우리가 사랑받을 자격이 있어야 사랑받는다는 강박관념을 가지고 있다. 인간의 가치가 우리가 하는 일에 달려 있는 것처럼 오해할 때가 있다. 우리는 자신이 하는 일을 통해서 인정받고 싶어 한다. 일을 통해서 자신이 생산적이고, 효율적이며, 능력 있는 사람임을 확인받고 싶어 한다. 그러나 그것은 세상의 가치이지 하나님나라의 가치가 아니다.

하나님의 무조건적 사랑을 인지하고 하나님의 자녀 된 자존감을 회복하기까지 우리는 늘 갈등 속에서 살아간다. 그러나 우리가 사랑받기 위해 해야 할 일은 아무것도 없다. 우리는 나아갈 뿐이다. 구할 뿐이다. 그리고 우리는 받는다. 사랑은 선물이지 일에 대한 보상이 아니다. 주님은 공부와 경쟁의 무한 스트레스와 아픔 가운데 있는 우리에게 그것이 우리 삶의 목적이 되어서는 안 된다고 가르쳐주신다.

이 가르침을 따를 때 우리는 아버지가 계신 집으로 돌아가 아버지의 사랑 안에서 쉼과 안식과 자유함을 얻는다. 우리는 하나님과 함께 마음 편히 집에 있을 수 있다. 집에서는 언제든지 실수해도 좋다. 무조건 우리 자신이 될 수 있다.

우리와 함께하기 원하시는 하나님

어떤 사람이 사람의 말을 알아듣는 원숭이를 키웠다. 이 원숭이를 훈련시킨 주인은 원숭이와 대화도 나누고 심부름도 시켰다. 이 원숭이는 주인의 자랑거리였다.

어느 더운 여름날 주인은 대청마루에 누워서 낮잠을 청했다. 날이 무더워 땀이 흐르자 주인은 원숭이에게 부채질을 하라고 명령했다. 원숭이가 열심히 부채질을 하고 있는데 파리가 주인 얼굴에 달라붙어 주인을 귀찮게 하고 있었다. 주인은 자다 말고 일어나 원숭이에게 파리도 같이 쫓으라고 시켰다. 원숭이는 부채질하면서 파리도 열심히 쫓았다. 잠시 후 계속해서 주인 얼굴로 달려드는 파리 한 마리 때문에 원숭이는 신경질이 나기 시작했다. 파리를 잡으려고 혈안이 된 원숭이는 문득 마당에 있는 바윗돌을 보았다.

"옳거니" 하면서 원숭이는 그 바위를 가지고 마루로 올라왔다. 마침 파리가 주인의 코로 날아와 달라붙었다. 이 우직하고 충성스러운 원숭이는 파리를 향해 바위를 힘껏 던졌다. 이후 이야기는 상상에 맡긴다. 여기서 우리는 한 가지 질문을 던져야 한다. 과연 이 원숭이가 주인에게 충성을 다했는가?

원숭이는 충성하려고 했지만 자기 방식대로 충성하려고 했다. 원숭이에게는 결정적으로 부족한 것이 하나 있었다. 그것은 주인이 내린 명령의 진짜 의도를 충분히 파악하지 못했다는 것이다. 주인의 마음을 소홀히 여기고 자기 방식을 고집했다. 그 결과 주인이 전혀 바라지 않은 결과를 초래했다. 이 원숭이는 제대로 충성하지 못했다.

예수님께서는 마지막 날에 많은 사람들이 와서 "주여! 주여!" 한다고 그들이 다 천국에 들어가는 것이 아니라고 말씀하셨다.

"그 날에 많은 사람이 나더러 이르되 주여 주여 우리가 주의 이름으로 선지자 노릇하며 주의 이름으로 귀신을 쫓아내며 주의 이름으로 많은 권능을 행치 아니하였나이까 하리니 그때에 내가 저희에게 밝히 말하되 내가 너희를 도무지 알지 못하니 불법을 행하는 자들아 내게서 떠나가라 하리라"(마 7:22,23).

하나님은 우리의 무엇을 보고 기뻐하실까? 우리가 하는 일을 보고 기뻐하실까? 아버지가 가장 기뻐하시는 아들의 모습은 아들이 자신을 위해 무언가를 할 때라기보다 아들이 자신과의 사랑의 관계 속에서 성숙해 가는 모습을 보일 때이다. 그런데도 자본주의 사회에서 살아가는 우리는, 우리가 생산하고 이루어내는 일의 양에 우리의 가치가 있다고 생각한다. 우리는 하나님마저도 그분이 우리의 일 때문에 우리를 기뻐하신다고 착각한다.

몽골의 아파트는 부엌이 좁기 때문에 식탁을 거실에 놓는다. 동연이와 서연이도 기분이 좋을 때면 엄마 아빠를 돕겠다고 음식을 식탁까지 나르곤 한다. 나와 아내는 이 일을 기뻐한다. 그렇지만 아이들이 일을 덜어주어서 기쁜 것이 아니다. 아이들이 부모를 돕고 싶어 하는 마음을 지녔다는 사실을 기뻐하는 것이다. 사실 아이들이 돕는다고 나서보아야 일을 그르치는 경우가 더 많다. 빨리 끝낼 수 있는 일에 오히려 방해가 되기도 한다. 그런데도 우리 부부는 아이들과 함께 일하는 것이 기쁘다.

우리가 사역 또는 사역의 결과에 집착하게 되는 경우, 그때가 우리의 영혼이 곤핍해졌을 때임에 주의하라. 우리는 우리의 영혼이 힘들면 힘들수록 더 열심히 일하며 자신을 채찍질한다. 그리고 누군가를 감동시키려고 애쓴다. 나 자신 또한 감동시키고 싶어 한다. 심지어 하나님까지 감동시키고 싶어 한다. 그러나 하나님은 우리의 일에 감동하지 않으신다. 예수님은 오히려 이렇게 말씀하신다.

"네가 지고 있는 그 무거운 짐을 내게 다오. 내 멍에는 가볍단다. 너는 내 안에 와서 쉼을 누려라. 내가 너를 기뻐하는 것은 너의 일 때문이 아니란다. 내가 너를 위해 일해줄 수 있는데 네가 붙잡고 있기 때문에 내가 일할 자리가 없구나!"

결국 이 말씀의 본뜻은 우리가 붙든 자아의 짐을 내려놓으라는 것이다. 그리고 예수 그리스도의 십자가 안에서 예수님과 함께 부활의 기쁨을 누리라는 것이다. 하나님께서 우리에게 사명을 주시는 이유는 그 사역을 통해 함께 교제 나누기를 원하시기 때문이다. 주께서 우리를 부르신 가장 중요한 목적은 친구가 되시기 위해서다. 다른 것도 중요하지만 부수적이다. 하나님은 우리의 도움이 없더라도 일하실 수 있다. 돌들을 일으켜서라도 일하게 하실 수 있다.

나는 하나님께서 내가 가진 달란트가 필요해서 나를 몽골로 보내어 사역하게 하신다고 생각지 않는다. 내가 하나님을 위해 선교 사역을 감당해드리는 것이 아니다. 하나님께서는 혼자서도 능히 그 일들을 하실 수 있고 다른 사람을 통해서도 일하실 수 있다. 내가 없으면 사역이 안 될 것 같다는 생각은 큰 착각이다. 나는 문득 하나님께서 나를 쓰시는 이유는 몽골에서 일으키시는 당신의 놀라운 사역을 혼자 보시기 아까워서 나를 끼워주신 게 아닐까 하는 생각이 들 때가 많다.

하나님은 내 도움이 필요 없으시지만 서툰 나를 하나님의 계획 가운데 끼워주시고 함께 일하고 싶어 하신다. 하나님께서 나를 쓰시는 이유는 나와 그 동역의 기쁨을 함께 누리기 원하시기 때문이다. 그러면서 때로는 공(功)까지 내게 돌려주신다. 내가 동연이, 서연이와 함께 집안일을 하고 싶어 하는 이유도 이와 마찬가지이다.

3부
더더 내려놓기

하나님이 주신 비전은 하나님의 주권 하에 하나님의 시간에 하나님의 방식대로 이루어진다. 사람의 일을 원한다면 그저 사람의 방식대로 사람의 계획에 따라 움직이면 된다. 하지만 우리가 하나님의 일을 원한다면 하나님께 미래의 계획표를 내어드리고 그저 하나님을 신뢰하면서 하루하루 하나님 안에서 기다리며 하나님이 원하시는 방식대로 살아가는 것이 중요하다.

내려놓음이란 내가 가진 열망과 내게 익숙한 길을 버려두고 주님의 뜻을 좇는 삶을 지향하는 것이다. 세상을 향한 내 육신의 욕구가 죽고 주님의 거룩하심이 나를 지배할 수 있도록 내 의지를 주님께 맡기는 것이라고 말할 수 있다.

10장 인생 계획의 모든 결정을 맡기는 더 내려놓음

하나님의 방식 구하기

하나님께 쓰임 받는다는 것은 너무나 기쁜 일이다. 그런데 대부분의 경우 하나님이 우리를 쓰실 수 없을 때가 많다. 그 이유가 무엇일까? 내가 하나님께 쓰임 받기를 원하는데, 하나님께서도 나를 쓰시고자 하는데, 그런 우리가 쓰임 받지 못하는 이유는 하나님의 방식이 아닌 내 방식대로 쓰셔야 한다고 생각하기 때문이다. 즉, 내가 원하는 방식으로 나를 사용하시기 원한다는 것이다. 달리 말하면 우리에게는 하나님 앞에서도 결코 양보하지 않는 부분이 있다는 것이다.

하나님은 날마다 새로움 가운데 우리를 만나주시고 더 깊은 관계 속으로 들어가기를 원하시는 분이다. 그러나 우리는 "성령님, 도와주십시오!"라고 기도해놓고도, 막상 성령님이 오셔서 성령님께서 나를 들어 쓰셔서 일하시도록 하기보다는 '좀 가만히 계세요, 저에게는 제게 편한 방식이 있어요' 하고 성령님의 역사를 제한한다. 내 방식이 먼저 튀어나오는 것이다. 나에게 익숙한 말씀, 잘 알고 있는 프로그램과 이미 경험해서 성공해본 방법론이 먼저 나오는 것이다.

나도 내가 영적으로 곤고해졌을 때 교회를 이끌어가면서 방법론을 먼저 찾는 것을 보게 된다. 문제를 가지고 하나님께 나아가기보다는 '뭐 새로운 방법이 없을까? 무슨 새로운 훈련 과정이 없을까?' 하면서 다른 방법들을 찾게 되는 것이다.

우리는 많은 경우 "하나님, 제가 해드릴게요. 하나님은 좀 가만히 계세요"라고 한다. 내 아들 동연이가 나에게 자주 하는 말이 있다.

"아빠, 잠깐 가만히 있어 봐요. 내가 다 할 수 있어요."

그런데 사실은 거의 다 못하는 일투성이다. 주로 일을 망친다.

되돌아보건대 내가 이레교회 목회 기간 중 하나님의 은혜를 많이 누릴 수 있었던 이유가 내가 목회에 대해서 잘 몰랐기 때문이라는 생각이 들었다. 나는 신학을 공부할 시간도 없었고 별도의 선교 훈련조차 받지 못했다. 미국에서 박사 과정을 마칠 무렵 몽골로 부르시는 하나님의 부르심에 응답하여 곧장 몽골로 들어왔다.

몽골에 들어오자마자 학교 사역과 동시에 교회를 맡아 담임하는 사역이 주어졌다. 목회에 대해 아무것도 모르는 사람을 이레교회를 섬기는 자리에 두시고 하나님은 어떤 마음이셨을까? 어쩌면 나 역시 몰랐기 때문에 내 방식을 고집하지 않고 하나님의 방식을 구할 수 있었다. 물론 내 방식이 생겨나기 시작하면서 하나님의 사역을 방해했던 부분도 있었을 것이다. 아직까지 내가 덜 부서졌기 때문에….

하나님께서는 내가 목회를 하나도 모르는 사람이었기 때문에 이레 교회를 맡을 수 있었다고 가르쳐주셨다. '네가 만일 목회 경험이 있었거나 배운 것이 있었으면 어떻게든 그 방식을 집어넣으려고 노력했겠지' 라는 마음을 주셨다. 내가 교회에 대해 몰랐기 때문에 나는 "하나님, 어떻게 해야 합니까?"라고 계속 물었고, 하나님이 그때그때 주신 답으로 사역할 수 있었다.

물론 선교 훈련을 받고 많은 준비를 하는 것은 권할 만한 일이고 좋은 것이다. 하지만 하나님께서는 때로 준비되지 않은 상황 속에서 우리를 사역으로 몰아가실 때가 있다. 어떤 사람은 하나님은 준비된 자만을 쓰신다고 말한다. 하지만 성경을 보든지 내 경우를 보든지 간에 그것은 맞지 않는 말 같다. 하나님께서는 하나님이 원하시면 준비되지 않은 자도 쓰신다. 오히려 사람들이 생각하는 일정한 자격을 갖추지 못한 자를 쓰셔서 인간의 교만을 꺾고 예상을 뒤엎으시는 경우가 얼마나 많은가.

하나님과 같이 우는 목회

한번은 변화될 것 같지 않은 지체들을 바라보면서 좌절하여 기도한 적이 있다. 어느 날 하나님께서 동물 어미의 울음소리 같은 것을 내게 들려주셨다.

"무슨 소리입니까?"

나는 물었다. 문득 이것은 하나님께서 이 백성을 향해 우는 울음이라는 생각이 전해졌다. 전능하신 그분께서 이 아픔 때문에 우신다고 생각하니 송구하고 전율에 휩싸이듯이 마음이 아팠다.

"나와 같이 울지 않겠니? 이것이 내가 네게 원하는 목회란다."

하나님께서 내게 요구하신 것은 딱 하나였다. 하나님은 같은 마음으로 울자고 하셨다. 나는 그렇게 하겠다고 했다. 그러고 나서부터 목회가 무척 쉬워졌다.

돌아보면 하나님께서 나를 위해 대신 목회해주셨다. 설교 준비부터 목양에 이르기까지 하나님의 능력으로 내 부족함을 감싸주셨다. 주중 낮에는 학교 수업 때문에 수요일과 금요일 예배 시간에 맞추어 달려가기에 바빴다. 설교 준비도 못한 채 가는 경우가 허다했다. 그럴 때는 차 안에서 그 날 주님께서 주실 말씀을 구했다. 그러다보면 한 구절의 성경 말씀을 주실 때가 있는데 그 구절을 가지고 설교하곤 했다.

어느 날 차 안에서 기도하는데 문득 한 구절이 떠올랐다. 내가 며칠 전에 읽었던 성경구절이었는데 너무 어려워서 해석하기 곤란한 내용이었다. 그렇지만 그 구절을 떠올려주시는 것을 보니 그 내용으로 설교하라는 하나님의 말씀으로 다가왔다. 순간 고민했다.

"나도 이해 못하는 구절로 설교를 하라 하시니…."

하지만 결국 그 구절밖에 달리 떠오르는 구절이 없어서 그것을 가지고 말씀을 전했다. 신기하게도 말씀을 전하면서 갑자기 그 말씀을 깨닫게 되었다. 그 말씀이 가진 영적 의미가 내게 전달되었다. 그래서 그 말씀을 깊이 나누었다.

틀을 깨는 믿음

때로는 하나님께서 우리의 상식을 깨기 원하신다. 우리의 믿음이 그 상식을 넘어서기를 원하신다. 성경의 기적들은 하나같이 다 그렇게 해서 우리에게 부어진 것이다.

자신의 약점과 부족한 부분을 하나님께 맡겨라. 미래의 계획, 꿈꾸고 있는 비전까지 모두 하나님께 맡겨드려라. 자신의 생각과 하나님의 뜻을 정확히 구분하라. 자기 생각을 하나님의 뜻과 섞는 그 순간 하나님의 음성은 희미해지기 시작한다. 하나님의 인도로부터 어느새 멀어지게 된다. 그때마다 내 계획이나 경험에 의지했던 것을 내려놓아야 한다. 내가 은혜 받았던 때의 삶의 방식을 고집하는 것, '하나님은 원래 이렇게 역사하시는 분이야!' 라는 고정관념만 고집하는 자신의 틀이 깨져야 한다. 우리의 것이 완전히 부서지지 않으면 하나님의 것을 덧입을 수 없기 때문이다.

하나님이 왜 당신을 통해서 일하실 수 없는지 아는가? 당신이 너무 크기 때문이다. 당신의 자아가 너무 커서 하나님이 들어가실 자리가 없다. 그러므로 당신이 갖고 있는 틀, 당신이 고집하는 방식, 당신의 계획을 깨버려라. 그리고 주님의 것으로 채우라. 이것이 "너의 길을 여호와께 맡기라"(시 37:5)라는 말씀의 핵심이다.

하나님은 굉장히 창의적인 분이시다. 각각의 사람들의 필요에 따라 하나님의 가장 기발한 방법으로 우리를 돕기를 원하신다. 그러기 위해서 우리가 먼저 해야 할 일이 있는데 그것은 하나님께 내려놓고 온전히 맡겨야 한다는 것이다. 그러나 우리는 온전히 맡길 줄 모른다.

"하나님, 50퍼센트만 맡길게요!"

그러나 예수님은 이렇게 말씀하셨다.

"너희가 두 주인을 섬길 수 없다!"

두 주인을 섬길 수 없다는 말은 그것이 불가능하다는 이야기이다. 그렇게 해서는 안 된다는 말이 아니라, 세상에 한 발을 디디고 한 발을 하나님께 디디면 근본적으로 세상을 택한 것이라는 말씀이다. 하나님과 세상에 양 발을 걸친 사람은 결정적인 순간에 세상을 따라가게 되기 때문이다. 그런 사람이 결정적인 순간에 하나님을 따라가는 법은 없다. 근본적으로 불가능하다는 말씀이다.

내 맘대로 주일

나에게도 내가 내 고집을 부릴 때 하나님께서 그 부분을 다루신 기억이 있다. 지금으로부터 16년 전, 내가 중국 내지(內地)를 무전 여행하고 있을 때 일어난 사건이다.

1991년 1월, 80여 일간의 중국 여행 일정을 거의 마치고 마지막 일주일을 남겨놓았을 때의 일이다. 내가 정한 일정에 맞추려면 약속한 시간 내에 상해에 도착하여 귀국을 준비해야 했다. 당시 나는 중경이라는 양자강 상류 내륙도시에 있었다. 이곳에서부터 몇 군데 목표했던 지역을 모두 들러서 양자강 하류의 상해까지 가기에는 일정이 빠듯했다. 나는 일단 중경에서 장강삼협(長江三峽)을 지나 양자강 중류까지는 배를 타고 여행하고 그 다음부터는 기차로 여행하기로 마음을 먹었다.

배표를 사러 부두에 간 나는 갈등하기 시작했다. 배 시간이 토요일 저녁과 월요일 아침이었기 때문이다. 토요일 저녁 표를 사면 주일예배를 드릴 수 없게 된다. 그렇다고 월요일 표를 사면 시간이 너무 지체되어 계획한 일정의 일부를 포기해야 했다. 나는 한참을 망설였다. 나는 떠나오기 전부터 교회를 거의 찾아보기 어려운 중국 땅에서도 매주 빠지지 않고 주일예배를 드릴 수 있게 해달라고 기도했다. 그 땅에서 드리는 나의 기도와 찬양을 통해 사회주의 국가에서도 하나님께 영광을 돌리게 해달라고 기도했던 일이 생각났다.

때마침 시내 여행 도중 봐둔 교회도 한 곳 있었다. 마지막 예배로 유종의 미를 거두어야 한다는 마음의 부담이 작용했다. 그런데 다른 한편으로는 모처럼 온 중국 땅이고 언제 다시 올지 모르는데 일정을 마치지 못한다고 생각하니 무척 아쉬웠다.

결국 나는 토요일 저녁 배표를 끊고 말았다. 배표를 사고 돌아오는 길에 예배당에 들러 잠시 기도하는 것으로 예배를 대신하고자 했다. 그곳 전도사님과 그 교회에 관해 여러 이야기를 나누는 것으로 내 소임을 다했다고 자위하면서.

그 날 저녁 나는 배를 타기 직전까지 두 차례나 깡패를 만났다. 물건을 강매하려고 행패를 부린 것이다. 큰 봉변 없이 무사히 벗어나기는 했지만 중국에서 처음 겪는 일이라 그전까지와는 다른 기분이 나를 휘감았고 왠지 하나님으로부터 도움이 끊긴 것 같은 불안감도 엄습했다. 하나님이 주시는 사인이었건만 그런데도 나는 애써 이를 무시하고 싶었다. 그리고 스스로 마음을 다잡으며 이렇게 말했다.

"불안해 할 필요 없어. 나는 하나님이 뭐라고 야단치실 만큼 잘못한 것도 없으니까. 배 안에서 예배드리면 되잖아. 꼭 예배당 안에서만 예배해야 하나 뭐. 중국말 설교는 알아듣기도 힘든데 차라리 나 혼자 드리는 예배가 더 은혜롭지."

다음날 아침 잠자리에서 일어났을 때, 나는 목과 턱이 붓고 아파 음식을 제대로 씹을 수 없을 뿐 아니라 말을 하기도 어려웠다. 순간 나는 이것이 내 죄짐 때문이라는 것을 직감했다. 그렇지만 무엇을 잘못한 것인지, 그리고 왜 잘못인지 분명하지 않았다. 배가 정박해 있는 동안 배 안의 일행들과 뭍 위로 올라가 역사 유적지를 돌아보았다. 그중 상당수가 불교 사원과 도교 사원이었다. 그날따라 그곳을 거니는 일이 내키지 않고 마음도 무거웠다. 턱이 계속 아팠다.

그러고 보니 아침부터 정신없이 스케줄에 맞춰 다니느라 혼자서라도 드리겠다던 예배를 빼먹은 것이 생각났다. 순간 한국에서 대예배를 드릴 시간이라는 생각이 들자 예배의 자리에 그렇게 가고 싶고 예배의 자리에 있을 성도들이 너무나 부러웠다. 나의 모습을 돌아보니 전혀 영적인 기쁨이 없었다. 어떠한 기쁨도 없는 관광은 무익할 뿐이었다.

나의 도움이 어디서 올까?

배로 돌아오자마자 나는 성경 찬송을 가지고 한적한 배 뒷전으로 갔다. 기도하려고 보니 무엇을 기도해야 할지 몰랐다. 하나님과 나 사이에 금이 생겼다고만 느껴졌다. 기도가 안 되어 찬송부터 부르기 시작했다. 찬송에는 힘이 있었다. 기도할 힘조차 없던 나에게 찬양이 기도가 되고 있음을 느꼈다.

회개의 기도를 올리며 나는 하나님의 심정을 깨달을 수 있었다. 하나님께서는 중국 땅에서도 나를 통해 온전히 예배 받으시기를 원하셨다. 그러나 나는 영적으로 게을러져서 하나님의 뜻을 분별할 지혜를 잃어버렸다. 하나님께서는 중국에서 내가 민감하게 보고 또 기도하고 그 땅에서 비전을 보기를 바라셨는데 내가 그만 그 일에 소홀했던 것이다.

눈물이 앞을 가렸지만 나는 계속 찬송했다. 처음에는 목과 턱이 아파 입술을 벌리기도 힘이 들었는데 찬송 중에 목이 풀어지는 신비한 일이 벌어졌다. 하나님께서 기도를 받으셨다는 확신이 들자 내 안에 다시 평안이 찾아왔다. 그러나 일은 그렇게만 끝나지 않았다.

그날 밤, 배는 강의 모랫바닥에 처박혀 오도 가도 못하게 되었다. 선장은 노련한 사람이었는데도 그날따라 빨리 가려고 서두르다가 수심이 깊지 않은 지역으로 지나가려는 우를 범하고 만 것이다. 배는 16시간을 꼼짝 못하다가 구출되었다. 목적지에 도착하고 시간을 확인해보니 결국 월요일 아침에 출발한 배 시간과 다를 바가 없었다.

순간 하나님의 섭리와 교훈을 깨달았다. 나는 시간을 아낀다는 명목으로 요나처럼 하나님의 계획과 반대 방향으로 갔다. 그러나 그것은 시간을 버는 일이 아니었다. 결국 죽어라 고생만 하고 다시 제자리로 돌아와 처음부터 다시 시작해야 했던 것이다. 시간은 인간이 절약한다고 되는 것이 아니며 하나님의 관리 하에 있다는 사실을 나는 그때 체험적으로 배웠다. 하나님께서 중간에 배를 세우기까지 하시며 미련한 영혼을 일깨워주신 것이다.

또 하나님께서 나의 회개의 기도를 들으시고 하나님께 용서를 받았더라도 우리의 잘못에 대해 갚을 것을 분명히 하는 정확하신 하나님을 체험하게 하셨다. 같이 배 안에 있던 사람들에게는 배가 강바닥에 박힌 일이 한낱 재수 없는 사건에 불과했겠지만 내게는 더할 수 없는 소중한 교훈이 되었다. 하나님께서 나 하나를 가르치시기 위해 배를 멈추셨던 게 아닐까 생각되었다. 약삭빠른 눈에는 더딘 길이었지만 오히려 그 길이 가장 빠른 길이었다. 십자가의 좁은 길이 바로 그런 길이다.

나의 계획을 버리는 훈련

추후의 계획을 물어보는 신문사 기자와의 인터뷰에서 나는 미래의 계획이 없이 산다고 한다. 그 말이 어떤 분들에게 혼란을 초래한 모양이다. 내 말뜻은 계획을 세우는 것이 나쁘다는 의미가 아니다. 더 좋은 삶의 모습, 즉 사람이 아닌 하나님이 함께해주시는 삶의 모습을 이루어가기 위한 한 과정이라고 이해하면 될 것 같다. 돌아보건대 내가 계획한 것보다 하나님께서 나를 위해 준비해주신 것이 항상 더 좋았다. 지금은 하나님께서 내가 계획 없이 하나님을 신뢰하며 나아가기 원하신다는 것을 알기에 그저 내 계획을 버리는 훈련을 하고 있을 뿐이다.

사람들이 계획과 비전에 대해서 혼동하고 있고 또 하나님이 주시는 비전이 무엇인지 정확히 이해하지 못하는 경우가 있다. 비전이 하나님으로부터 온 것인지 나로부터 온 것인지 우리는 늘 분별할 필요가 있다. 하나님이 주신 비전은 하나님이 이루신다.

요셉이 꿈을 꾼 것은 자기가 원해서가 아니다. 요셉이 꿈을 꾸고 난 뒤 스스로 그 꿈을 이루려고 노력했다는 이야기는 성경 어디에도 없다. 그저 하나님이 요셉을 이끌어가셨을 뿐이다.

다윗이 기름부음을 받은 것도 자기 뜻이 아니었다. 그러고 나서 그는 오랜 기간 연단과 고난을 받게 되었다. 다윗이 원하거나 계획한 것은 없었다. 다윗이 한 일은 하루하루 사울을 피해 도망 다닌 것이었지 왕이 되기 위한 포석을 까는 일이 아니었다. 하나님이 주신 비전은 하나님의 주권 하에 하나님의 시간에 하나님의 방식대로 이루어진다.

사람의 일을 원한다면 그저 사람의 방식대로 사람의 계획에 따라 움직이면 된다. 하지만 우리가 하나님의 일을 원한다면 하나님께 미래의 계획표를 내어드리고 그저 하나님을 신뢰하면서 하루하루 하나님 안에서 기다리며 하나님이 원하시는 방식대로 살아가는 것이 중요하다.

하나님이 주시는 비전은 '무엇이 되는' 데 있는 것이 아니라 '어떤 모습으로 살아가느냐' 에 있다. 즉, 교수, 의사, 사업가 등 어떤 직업을 가지고 무슨 일을 하는가에 있는 것이 아니라 어떤 삶을 이루는 사람이 되

내가 말한 '계획 없이 산다는 것' 은 그저 편하게 지내며 즉흥적으로 산다는 것이 아니다.

나의 자아를 확대시키기 위한 계획을 내려놓고 주님이 일하시도록

내 삶의 결정권을 내어드리는 것이다.

이때 나는 기다리며 하나님의 계획을 신뢰하며 하나님이 먼저 일하시도록 내 삶의 주도권을 올려드려야 한다.

는가가 우리 하나님의 관심사라는 것이다.

물론 세상에서는 계획이 필요하다. 나도 교회와 학교에서 일하기 위해서 계획이라는 것을 세운다. 나도 스케줄 없이 일주일을 사는 일이 어렵다. 하지만 하나님이 쓰시고자 하는 어떤 사람들에게는, 특정한 사역의 영역에서 특정 시기 동안 하나님을 깊이 신뢰하며 모든 계획을 비우고 하나님만 바라는 훈련을 요구하신다는 것을 경험적으로 보게 된다. 신뢰 훈련이자 의탁 연습이라고 할까.

우리가 한 치 앞을 알 수 없는 영역으로 내던져질 때가 바로 그런 경우이다. 이런 시기에는 계획을 세운다는 것이 무의미하다. 어차피 계획대로 되지 않을 테니까. 이럴 때에는 “주의 말씀은 내 발의 등이요 내 길에 빛이니이다”(시 119:105)라는 성경 말씀이 위로가 된다. 먼 앞길은 캄캄하다. 오직 내가 볼 수 있는 것은 하나님의 말씀에 비추어진 오늘 하루의 삶뿐이다. 우리는 하나님과의 관계를 맺는 과정 중에 반드시 이 길을 걸어가게 된다. 내 계획대로 되지 않을 때 좌절하거나 힘들어 하는 정도만 봐도 그 사람의 믿음의 분량이 바로 드러난다.

내가 말한 ‘계획 없이 산다는 것’은 그저 편하게 지내며 즉흥적으로 산다는 것이 아니다. 나의 자아를 확대시키기 위한 계획을 내려놓고 주님이 일하시도록 내 삶의 결정권을 내어드리는 것이다. 이때 나는 기다리며 하나님의 계획을 신뢰하며 하나님이 먼저 일하시도록 내 삶의 주도권을 맡겨드려야 한다. 이것은 내 자아가 추구하는 방향과 일치하지 않기 때문에 하나님의 도우심 아래 끊임없이 싸우며 이루어가야 할 일이다.

하나님이 내주신 비자

교수를 확보하기 위한 노력의 일환으로 2007년 1월 브라질에서 열리는 남미 유학생수련회에 강사로 참석하기로 결정한 후 항공편을 알아보니 미국 뉴욕에서 브라질로 가는 비행기 편으로 환승하는 것이 가장 유력했다. 그런데 뉴욕에서 바로 브라질로 가는 비행기를 갈아타면 이틀을 비행기 안에서 보내게 된다. 브라질에 도착하면 파김치가 될 것 같아 뉴욕에서 며칠 집회하며 머물다 가면 좋겠다고 생각했다. 나는 뉴욕에서의 사흘을 어떻게 보내는 것이 하나님의 뜻인지 물었다.

일단 미국 비자를 받기 위한 인터뷰를 하러 몽골 주재 미국 대사관에 갔다. 나의 학생 비자는 이미 만료되었으므로 미국 관광 비자를 새로 신청해야 했기 때문이다. 한국으로 가서 일주일 정도 체류할 시간이 없었기 때문에 한국에서 비자를 신청하기는 어려웠다. 몽골에서 미국 비자를 받는 것은 까다롭다. 몽골 사람들이 미국에서 불법으로 취업하기를 원하기 때문에 비자 인터뷰에서 비자 발급이 거부되는 빈도가 매우 높다. 불과 2년 전만 해도 몽골국제대학교가 거의 알려지지 않았기 때문에 교원들이나 교수님도 미국 비자가 기각된 사례가 있었다.

미국 비자 신청서를 접수하고 나서 얼마 후 '세비 넷' 이라는 단체를 설립하신 권사님께서 나의 미국행을 아시고 미주리 주립대학의 한국 교수님들의 모임과 컬럼비아의 한인교회 집회를 섬겨달라고 주선했다. 타이밍이 절묘하게 맞는 것을 보고, 이전에 하나님께서 나를 인도하셨던 방법이 생각났다. 실은 그 무렵 미국의 몇몇 한인교회로부터 집회 요청이 있었지만 주님이 딱 한 곳을 정해주시기를 바라고 있었다. 뒤이어 그 대학의 아시아센터에서 온 메일에는 몽골 학생들의 연수 프로그램을 받아줄 용의가 있다고 했다. 학교를 위한 출장의 의미까지 더해져서 일단 초청을 수락했다.

아침 8시 30분에 비자 인터뷰가 있었다. 전날도 학교 일로 내내 분주했다. 나는 학교 직원이 챙겨준 재직 증명서 한 장과 신청서를 가지고 미국 대사관에 도착했다. 입구에서 보안 요원이 비자 신청료 납부 증명을 보자고 했다. 안내문에서 보지 못한 내용이었다. 나는 이미 인터뷰 신청이 처리되었기에 비자 신청료 납부 증명이 별도로 필요하리라고는 생각하지 못했다. 하지만 달리 방법이 없어서 다시 돌아가 납부 영수증을 가져왔다. 가까스로 인터뷰 접수를 위해 기다리는 줄의 맨 마지막에 서서 다시 차례를 기다렸다.

내 차례가 되어 창구 직원에게 서류를 보여주었더니 신청서에 내 사인이 빠졌다며 서류를 집어던지고 창구 셔터를 닫아버리는 것이 아닌가. 그때 문득 예전에 미국 유학을 가기 전에 비자를 신청하던 기억이 새롭게 떠올랐다. 그때도 사인을 뒤로 미루다가 미국 영사 앞에 서는 순간 생각이 나서 급히 사인을 했는데 그런 나를 보면서 영사가 기가 막힌다는 표정으로 말했다.

"이것은 내가 당신의 비자 발급을 거부할 수도 있는 사안이오. 당신의 이런 실수가 당신의 인생을 바꿀 수도 있소."

결국 위기일발의 상황에서 학생 비자를 받을 수 있었다. 돌아보건대 하나님의 은혜였다. 나의 대책 없는 태도와 인생의 수많은 실수에도 불구하고 하나님께서 그것들을 덮어주시고 위기를 모면하도록 인도해주셨기에 내가 여기까지 온 것이다. 미국 영사는 자신이 내 인생의 행로를 결정할 권리가 있다고 믿었으나 그것은 오만한 생각이다. 내 인생의 행로를 결정하는 분은 하나님이시기 때문이다.

몽골의 미국 대사관에서 같은 실수를 하고 만 나는 닫힌 창구를 바라보며 기도했다.

"하나님, 미국에 들르는 것이 하나님 뜻이 아니라면 여기서 제 생각을 접겠습니다. 미국에 가고 안 가고는 이제 제 뜻과 무관합니다. 하나님께서 내가 미국에 잠시 있기를 원하시면 제 준비 상황과 무관하게 일해주실 것을 신뢰합니다. 이 과정을 통해서 하나님의 뜻을 확인하기 원합니다."

얼마 후 닫혔던 창구 문이 다시 열렸다. 미국 영사가 난처하다는 듯 나와서 안내 방송을 했다. 갑자기 대사관 컴퓨터 프로그램이 작동하지 않아 인터뷰가 불가능하다는 것이다. 40분에서 1시간가량 기다려보고 그래도 작동하지 않으면 오늘 면접은 할 수 없다고 했다.

때마침 창구 문이 열린 틈으로 나는 난처한 표정을 짓는 영사에게 몽골 직원이 접수를 안 받았다고 하면서 나의 신청서를 내밀었다. 영사가 신청서를 살펴보더니 사진이 준비되었느냐고 물었다. 이 내용도 안내문에서 확인하지 못했고 사진을 미처 챙기지 못한 나는 난감했다. 다시 인터뷰를 신청하려면 통상적으로 3주가 걸린다.

"여기서는 사진을 요구하나 보지요? 나는 미국식으로 생각하고 이곳에서 바로 디지털 사진 처리를 하는 줄로 생각했는데…."

조금은 엉뚱하더라도 차라리 솔직하게 말하는 것이 낫다고 생각했다. 영사가 말했다.

"음… 떠나는 날짜가 얼마 안 남았네요. 아, 마침 컴퓨터가 다운되어서 아직 40분쯤 시간이 있으니까 밖에 나가서 빨리 사진을 찍어 오세요."

영사가 호의를 베풀었다. 컴퓨터 다운이 나를 살린 것이 분명했다. 나는 재빨리 비자용 사진을 찍고 제시간에 돌아왔다. 돌아와 보니 아직도 컴퓨터가 작동되지 않았다. 창구에서 또 다른 몽골 직원이 나의 서류를 점검하더니 서류 한 장이 빠졌다면서 다시 서류를 하나 더 쓰라고 했다.

구비 서류를 제대로 준비하지 못한 내가 한심하여 당황스러웠다. 급히 서류를 작성해서 직원에게 넘기고 기다리며 지켜보니 연속으로 네 명이나 비자가 기각되었다. 내 차례가 되었는데 영사가 몇 가지 질문을 했다. 요약해보면 지난 학생 비자 기록에 따르면 하버드대학 초청으로 되어 있는데 하버드를 졸업한 사람이 도대체 몽골에서 무슨 일을 하는지 궁금하다는 것이다. 내 대답에 이해가 갈 듯 말 듯 잘 모르겠다는 표정을 지었지만 인터뷰 합격이라고 말했다.

인터뷰 접수 신청이 거부된 다음 내 기도 후에 하나님이 일하셨음을 느꼈다. 컴퓨터가 다운되는 바람에 내가 추가로 사진과 서류를 구비하여 비자를 무난하게 발급받게 된 것이다. 이런 일이 한두 번이 아니기 때문에 나는 이제 이런 상황을 직감적으로 알 수 있다. 내 여행의 향방은 각국 정부나 영사에게 달린 것이 아니라 하나님께 달렸음을 나는 다시 한 번 확인했다. 하나님께서 대사관의 컴퓨터를 다루시면 사람은 그저 속수무책이다.

나는 다시 한 번 누구를 경외할 것인지, 일정을 어떻게 잡을지 확인했다. 이 일을 통해서 내 일정을 간섭해주시고, 미국 일정이 하나님의 계획 가운데 있음을 밝혀주신 일에 감사했다. 하나님은 나의 실수도 사용하셔서 주님의 일을 이루어 가신다.

11장 전적 의존자의 삶을 향한 더 내려놓음

베드로의 실패

하나님께서는 우리에게 실패의 경험을 허락하신다. 베드로는 밤새 고기를 잡으려고 했지만 잡지 못했다. 그리고 예수님을 만났다. 예수님은 "깊은 데로 가서 그물을 내려 고기를 잡으라"고 말씀하셨다(눅 5:1-11). 이것은 어업 전문가인 베드로에 대한 비전문가의 도전이다. 베드로는 고기를 많이 잡아본 사람인데, 단지 그날 하루 고기를 잡지 못했다고, 목수 출신의 예수님이 평소에는 고기가 없을 깊은 곳으로 가서 그물을 던지라고 명하신 것이다. 그러나 베드로가 그 말씀에 순종하자 고기가 많이 잡혔다.

그런데 우리는 베드로가 고기를 많이 잡은 것을 보고 "베드로는 수

지맞았다. 기적이다!"라고 말한다. 하지만 우리가 발견하지 못하는 진짜 기적이 이 이야기 속에 숨어 있다. 베드로가 그 전날 물고기가 풍부한 갈릴리 호숫가에서 단 한 마리의 고기도 못 잡았다는 사실이 바로 기적이라는 것이다. 그래도 명색이 베테랑 어부인 베드로가 아무리 못 잡아도 한 마리는 잡아야 하지 않겠는가? 그런데 한 마리도 잡히지 않았다는 것이 기적이 아니고 무엇이겠는가.

하나님은 풍성하신 분이고 우리에게 무엇이든 베풀어주시려는 간절한 소망이 있는 분이시다. 하지만 때로는 하나님이 주지 않고 기다리실 때가 있다. 분명히 성도의 삶인데 사방으로 우겨쌈을 당하는 것처럼 모든 일이 막힐 때가 있다. 어쩌면 돈이 없어도 이렇게 없을 수 있을까 싶을 정도로 가난해질 때가 있다. 그런데 바로 이것이 기적일 수 있다는 말이다. 이 경우 대체로 하나님의 완벽한 각본에 따라 짜여진 환경이라는 것이다. 사방으로 우겨쌈을 당할 때 하나님의 손길을 체험하는 것이 바로 믿음이다.

어느 날 예상치 않은 곳으로부터 헌금이 들어왔다. 나는 이 돈으로 형편이 어려운 교인들을 조금씩 도와주면 좋겠다는 마음이 들었다. 그러나 가만히 생각해보니 그들을 돈으로 도와서는 안 된다는 생각에 다시 마음이 힘들었다.

몽골 교회의 교인들은 돈에 매우 약하다. 돈에 관한 훈련을 받아보지 못했기 때문이다. 하나님께서 그들에게 돈에 관한 훈련을 시키시는 과정 중에 있는데, 내가 어떤 사람이 어려울 것 같다고 물질로 도와준다면 문제가 될 수 있다. 그들이 하나님보다 선교사를 신뢰하거나 믿음보다 물질 때문에 교회에 붙어 있으려 할 수 있기 때문이다.

이것은 마치 나비가 고치를 찢고 나오려고 할 때 그 나비가 너무 고생스러우니까 불쌍하다고 고치를 가위로 잘라주는 것과 같다. 그럴 경우 나비가 쉽게 나오기는 하겠지만 스스로 날 수 있는 힘이 없어서 얼마 못 살고 죽어버린다. 이처럼 교인들을 돕고 싶어도 아직 나비가 되지 않은 상태와 같은 교인들을 도울 방법이 없어 보였다. 하루는 그 안타까움이 마음에 사무치자 너무 가슴이 아파왔다.

"하나님, 저들을 도와주고 싶은데 방법이 없네요."

돈도 있고 돕고 싶은 마음도 있는데 도울 방법이 없는 것이다. 나는 안타까운 심정으로 씨름하며 기도했다. 그때 하나님께서 내게 주신 마음이 있었다.

"네가 줄 수 없어서 안타까워하는 그 마음이 바로 내가 너희들을 향해 갖는 마음이란다."

하나님이 우리에게 주고 싶은데 주실 수가 없다는 것이다. 우리가 훈련받는 과정 중에 있기 때문이다. 그토록 주는데 넘치도록 풍성한 성품을 가지신 분이, 모든 것을 다 가진 전능하신 분이, 자신의 자녀를 돕고 싶지만 지금은 내버려두어야 할 상황이라서 마음이 아프시다는 것이다.

실패의 기적을 만드신 하나님

전날 베드로가 밤새 고기를 잡으려고 할 때 천사들은 이미 그 호숫가에 포진하고 있었다. 이 장면을 연상하면 떠오르는 장면이 있다. 몽골에는 몽골 대통령이 출퇴근하는 길이 있는데 그 길은 출퇴근 시간만 되면 교통경찰들이 대기하고 있다가 진입로를 통제한다. 대통령이 지나갈 때까지 차는 한 대도 그 도로로 들어서지 못한다. 꼼짝없이 기다려야 한다. 바로 이 호숫가에서 벌어진 상황이다. 베드로의 배가 지나는 길목 길목마다 천사들이 와서 지키고 서서 교통을 통제하고 있었다.

"거기 물고기 165호, 뒤로 빠져! 30미터 후진! 지금 베드로의 배가 9시 방향으로 전진 중이다. 그 앞쪽에 있는 물고기들은 후면으로 아예 빠져라!"

천사가 이렇게 교통정리 해주었을 것이다. 그중에 물고기 한두 마리 정도는 말을 듣지 않고 대열을 이탈할 만도 한데 어쩌면 그렇게 다 요리조리 빠져서 베드로가 가는 곳곳마다 물고기 한 마리도 걸리지 않게 만들어놓았는지 이것이 진짜 기적이 아니겠는가? 그렇다면 하나님께서는 왜 이런 기적을 베푸셨을까? 바로 베드로의 변화가 관건이었다.

물고기를 한 마리도 잡지 못한 베드로가 예수님 말씀을 듣고 순종했을 때 물고기를 엄청나게 많이 잡게 되었다. 그러자 도리어 두려운 마음이 들었다. 예수님 앞에 무릎을 꿇었다.

"주님, 나는 죄인입니다. 나를 떠나십시오. 나는 무능한 사람입니다! 나는 하나님의 도움 없이는 살아갈 수 없는 사람입니다."

베드로의 이 고백을 듣기 위해 풍성하신 하나님께서 궁핍의 기적을 베푸신 것이다. 마찬가지로 우리의 삶 가운데 일어나는 불행한 사건, 실패의 경험은 위장된 축복이자 기적이다. 하나님의 세밀한 계획 가운데 이루어진 일이다. 우리가 하나님께 베드로처럼 고백하도록 인도하기 위해 허락된 일이다. 그렇다면 그 고백 이후에 우리에게는 무엇이 주어지는가?

주께서 베드로에게 말씀하셨다.

"내가 이제는 너를 사람 낚는 어부가 되게 하겠다."

이 말을 좀 더 알아듣기 쉽게 표현하면 다음과 같다.

"베드로야, 네 관심은 물고기 잡는 일에 집중되어 있었지? 생선을 많이 잡은 날은 기뻤고 그렇지 않은 날은 슬펐지? 그런데 이제 네 관심을 바꾸어보지 않겠니? 하나님의 소명을 붙잡으려무나. 나는 네가 사람 낚는 어부가 되기를 원한다."

물고기를 한 마리도 잡지 못한 기적은 결국 하나님께서 우리에게 소명을 주시기 위해 계획 하신 것이다. 우리의 실패, 그로 인한 자기 본질에 대한 성찰과 고백을 통해 소명을 주시는 것이다.

우리의 관심은 늘 성공에 맞춰져 있다. 우리의 관심이 성공에 맞춰져 있는 한 우리는 하나님의 도구로 쓰임을 받을 수가 없다. 심지어 그 성공이 하나님의 사역의 일환으로서 성공일지라도, 우리가 그것을 붙잡으려고 하는 한 우리는 하나님나라의 온전한 도구로 쓰임 받지 못한다. 우리의 목표는 하나님의 거룩이 되어야 한다.

아픔이 사명이 된다

베드로는 예수님이 부활하신 이후에도 다시 이와 비슷한 체험을 하게 된다(요 21:3-19). 이 때 이미 베드로는 예수님을 모른다고 세 번 부인한 상황이었다. 예수님은 제자들에게 예루살렘에 머물러 있으라고 했는데도 베드로는 친구들 몇을 데리고 어느새 갈릴리 호숫가로 도망가 있었다. 베드로는 "나는 고기나 잡아야겠다!" 하면서 배를 띄워 호수로 나아갔다. 이제 사람 낚는 어부 일은 그만두고 고기 잡던 옛날로 돌아가겠다는 뜻이었다. 베드로는 이날도 열심히 고기를 잡으려 했다. 그러나 이번에도 역시 고기가 잡히지 않았다.

예수님께서 나타나셔서 고기가 잡혔느냐고 물으셨다. 물론 알고 물으신 것이다. 베드로의 가장 큰 관심사에 대해 과연 그의 뜻대로 되고 있는지 물으신 것이다. 이번에 예수님은 배의 오른편에 그물을 던지라고 하신다. 지난번에는 깊은 곳으로 가서 그물을 던지라고 하시더니 이번에는 그냥 배 오른편에 그물을 던지라는 것이다.

이 상황에서 우리는 호수의 수면 아래를 보는 눈을 가져야 한다. 베드로의 배는 작은 고깃배였다. 그런 작은 배를 중심으로 물고기들은 배 오른편에 머물러 있으면서 왼편으로 넘어가지 않고 있다는 것이다. 베드로가 그물을 계속 왼편에만 던졌을까? 고기가 전혀 잡히지 않는 상황에서 그는 오른편 왼편 할 것 없이 이쪽저쪽으로 다 그물을 던져보았을 것이다. 그렇다면 물고기들이 어떻게 하고 있다는 말인가? 그물을 피해 왼편 오른편을 오가고 있었을 것이다. 수면 아래서 벌어진 기적이었다.

그러다가 예수님께서 그물을 내릴 위치를 정확히 가르쳐주셨을 때 물고기들은 준비됐다는 듯이 오른편으로 가서 그물 속으로 뛰어들었다. 그때 다른 제자가 "주님이시다!" 하고 예수님을 알아보았고 그 순간 베드로는 바다로 뛰어내렸다. 베드로에게 옛 기억이 다시 살아났다.

제자들은 예수님 앞으로 달려 나왔다. 예수님은 자신을 배신한 제자들에게 다른 말은 하지 않으셨다. "얘, 너희가 어떻게 나를 배신할 수 있니?"라는 말이라도 한마디 하셨으면 마음이 좀 편할 텐데, 예수님은 제자들의 아침식사를 위해 숯불에 떡과 생선을 구우셨다. 다른 말씀이 없으셨던 예수님께서 베드로를 향해 한 마디를 던지셨다.

"네가 나를 사랑하느냐?"

예수님은 이렇게 세 번 물어보셨다. 특별히 예수님은 비교급으로 물으셨다.

"네가 이 사람들보다 나를 더 사랑하느냐?"

베드로는 근심했다. 왜냐하면 자신이 주님을 사랑하지만 그 무엇보다 그 누구보다 주님을 사랑하는 것이 아니었기 때문이다. 베드로는 자신을 더 사랑했다. 그랬기 때문에 주님을 모른다고 세 번 부인할 수밖에 없었다. 베드로가 세 번 주님을 사랑한다고 고백했다. 베드로가 더 사랑한다고 고백하지는 못했지만 주님은 그 고백을 받으셨다. 세 번 대답하도록 유도하신 것은 그가 예수님을 모른다고 세 번 부인했던 실패에서 회복되기를 바라셨기 때문이다.

예수님은 베드로에게 왜 그런 큰 실패를 허락하셨을까? 예수님은 이후에 있을 로마의 엄청난 박해에 대해 이미 아셨고, 수많은 크리스천들이 배교(背教)하게 되리라는 것도 아셨다. 예수님은 베드로가 그들을 다시 품기를 바라셨다. "나도 당신들처럼 예수님을 부인한 적이 있었어요"라고 하면서…. 이것이 예수님을 세 번 부인한 베드로의 사명이었다.

아픔을 경험한 사람이 비슷한 아픔을 경험한 다른 지체를 위로하고 도울 수 있다. 알코올중독에서 벗어난 사람이 알코올중독자를 향한 안타까운 마음을 안고 그들을 섬길 수 있는 것과 마찬가지이다. 그 사람의 고통스러웠던 경험이 다른 사람의 아픔을 이해하도록 할 뿐만 아니라 고통을 이겨내는 좋은 모본이 될 수 있기 때문이다.

'성숙'의 정의

베드로의 실패는 베드로의 고백을 이끌어내기 위함이었다. 베드로의 고백을 받으신 후 예수님께서 그에게 새로운 사명을 주셨다.

"내 양을 먹이라! 내 양을 치라! 내 양을 먹이라!"

베드로에게 주어진 사명은 성공이 아니었다. 예수님의 양을 먹이는 일이었다. 그 사명을 감당하려면 베드로는 성숙해야 했다. 예수님은 베드로에게 이 사명을 주신 다음 수수께끼 같은 말씀을 더하신다.

"젊어서는 네가 스스로 띠 띠고 원하는 곳으로 다녔거니와 늙어서는 네 팔을 벌리리니 남이 네게 띠 띠우고 원치 아니하는 곳으로 데려가리라"(요 21:18).

이 말씀은 베드로의 죽음에 대한 예언이기도 하다. 세상의 시각으로

하나님나라에서는 성숙의 기준이 다르다.

독립적으로 존재하던 영적 존재가 하나님께 의존적인 상태로 들어갈 때 그것을 가리켜 성숙이라고 말한다.

"너의 길을 여호와께 맡기라 저를 의지하면 저가 이루시고" (시 37:5).

내려놓고 하나님께 맡기는 것이 성숙의 표징이 된다.

우리가 항복할 때 하나님이 일하기 시작하시는 것을 바라보기 때문이다.

보면 성공이라고 할 수 없는 결말이다. 그러나 우리는 베드로의 생애가 실패라고 말하지 않는다.

크리스천에게 중요한 것은 성공이 아니라 성숙이다. 이때 성숙의 기준은 세상에서 말하는 성숙의 기준과 다르다. 세상에서는 종속적인 위치에 있다가 독립적인 존재가 되면 성숙했다고 이야기한다. 부모에게 의존하고 있다가 독립할 때 성숙이라고 한다. 때로는 성공했다고 말하기도 한다.

인간에게는 누구나 본질적으로 성숙한 개체로 분리되고자 하는 욕구가 있다. 아담이 선악과를 따먹은 이유가 바로 그것이다.

"하나님, 이제 나는 하나님의 기준으로 생각하고 판단하고 싶지 않습니다. 내 생각과 내 판단을 가지고 독립적으로 살고 싶습니다."

그러나 하나님나라에서는 성숙의 기준이 다르다. 독립적으로 존재하던 영적 존재가 하나님께 의존적인 상태로 들어갈 때 그것을 가리켜 성숙이라고 말한다.

"너의 길을 여호와께 맡기라 저를 의지하면 저가 이루시고"(시 37:5).

내려놓고 하나님께 맡기는 것이 성숙의 표징이 된다. 우리가 항복할 때 하나님이 일하기 시작하시는 것을 바라보기 때문이다.

원망의 화살

실패한 경험은 우리의 발목을 잡곤 한다. 우리는 자신이 원하는 길을 가다가 실패할 경우, 하나님을 향해 원망의 마음을 품는다. 우리가 어떤 비난을 받고 상처를 받게 되면 처음에는 나를 비난한 그 사람을 향해 원망의 화살을 겨눈다. 그러나 시간이 지나면 그 원망의 화살이 전능자에게 향하게 된다는 것을 알 수 있다. 우리는 애써 그것을 표현하려 하지 않고 그 서운한 감정을 덮어두려고 한다. 하지만 우리의 마음속 깊은 곳에서는 주님을 향한 해결되지 않은 감정의 앙금이 남는다. 그것이 하나님을 향한 우리의 온전한 신뢰와 하나님과의 깊은 연합을 방해한다.

말씀이 취소되다

2006년 봄 나는 중고등학교 유학생 수련회의 저녁집회 주강사로 초청받았다. 처음 이 집회의 주최측으로부터 강사로 와줄 것을 요청하는 이메일을 받았을 때, 나는 내가 적임자가 아닐 거라고 생각했다. 그 지역은 거리도 멀었고 몽골에서 비행기 편을 이용하려면 오가는 데만 족히 사나흘을 보내야 한다. 게다가 시차 적응이라는 어려움도 있었다. 더욱이 학기 중이어서 나의 학생들에게 미안한 마음도 있었다. 또 다른 지역에서 집회를 끝낸 지 얼마 되지 않아 여러 가지로 여건이 좋지 않았다. 가족과 교회에 미안한 마음도 컸다.

그런데 하나님께 기도하는 가운데 "가라"는 응답이 너무 쉽게 빨리 왔다. 좋은 예감이 들었다. 그래서 이 집회에 가기로 결정을 내릴 수 있었다. 추후 이 수련회에 어린 중학교 학생들까지 온다는 사실을 알고 나서 나는 무척 난감했다. 나는 어린 학생들을 웃기고 관심을 유도해가며 집회를 이끌어갈 자신이 없었다. 그러나 기도하는 가운데 내 스타일대로 하는 것이 좋겠다고 확인했다. 아이들의 변화는 영적 감화력이나 열정이 문제이지 말재주나 기교에 달려 있지 않기 때문이다. 나 역시 아이들이 때로는 딱딱한 음식도 먹을 필요가 있다고 생각했다.

집회 장소에 도착해보니 첫날 개회예배를 위해 오시기로 한 강사님이 비행기 출발이 지연되어 개회예배 설교를 할 수 없게 되는 상황이 발생했다. 주최측에서는 곧이어 내게 말씀을 전해줄 것을 부탁했다. 나는 가장 자신 있고 중요하다고 생각한 설교만 마지막 저녁 집회를 위해 남겨두고 부랴부랴 새로 말씀을 준비하여 강단에 섰다. 강단에 선 나는 아이들이 무척 차분하다고 느꼈다. 하지만 아이들이 모두 집중하는 것 같지는 않았다.

이어서 계속된 첫날 저녁 집회에서는 나의 유학생활에 대해 간증했고 뒤이어 기도회까지 인도했다. 하나님께서 내 마음 가운데 열정을 주셨고 개인적으로는 내가 예상했던 것보다 더 많은 학생들이 반응하고 있다고 느꼈다.

그런데 저녁집회에서 말씀을 전한 직후 그런 나의 생각을 뒤집고 혼란스럽게 하는 사건이 발생했다. 강사 숙소에 들어서자 이민자 출신으로 미국에서 이민 2세 사역을 하는 어느 강사 분이 "어린 학생들을 상대로 그런 어려운 내용을 그렇게 어렵게 이야기하면 어떻게 하느냐?"며 "그런 내용은 일반 장년 집회에서나 해야 한다"고 내 설교를 강하게 비판했다. 또 다른 강사 역시 이에 동조했다. 그러더니 "청소년수련회에는 이민 2세 경험이 있거나 그들의 애환을 이해하는 사람이 강사로 서야 하는데

애초부터 강사 선정이 잘못되었다"고 진행본부 측에 이의를 제기했다.

갑자기 전반적인 분위기가 내가 적합하지 않은 강사라는 쪽으로 흘러갔다. 그러자 진행본부 측에서도 당황해 하면서 내가 개회예배를 인도했으니 둘째 날 집회는 원래 개회예배 설교로 예정되었던 그 강사님께 맡기는 것이 어떻겠느냐며 내 의중을 물었다. 나는 말씀에 욕심은 없다고 말했다. 단 나 역시 말씀을 전하러 오기 전에 기도하고 왔으므로 내일까지 기도해본 다음 그 결정을 진행팀에게 말해주겠다고 하고 늦은 밤 모임을 마무리했다.

하나님께서 이야기를 걸어오시다

방으로 들어서자 시차와 이틀에 걸친 비행기 여행의 피로가 한꺼번에 몰려왔다. 사람들 사이에 둘러싸여 내가 전한 하나님의 말씀에 대해 지적을 받는 상황이 무척 낯설고 외롭다는 느낌까지 들었다. 무엇보다 혹시 내가 전한 말씀이 학생들의 귀중한 기회를 낭비한 것은 아닌가 하는 자책감까지 들었다. 나는 나대로 하나님의 음성을 듣고 최선을 다했고 반응이 있었다고 여긴 상황에서 비판이 쏟아지자 무엇이 맞는지 판단이 서지 않았고 내가 전할 말씀에 자신이 없어졌다.

그날 밤 잠자리에 들기 전 기도하려 하자 서운함이 몰려왔다. 그와 동시에 배가 아프고 설사가 나왔다. 나는 잠에서 계속 깼고 깰 때마다 하나님과 대화했다.

"하나님, 마지막 날 저녁 집회 강사로 초청받아놓고 강사가 와 있는 상태에서 집회 말씀이 취소되다니 이런 일은 전례가 없을 겁니다. 말씀 전하는 것에 욕심은 없어요. 하지만 제가 많이 잘못했나요? 제가 말씀 전하지 않는 것이 옳은가요?"

하나님께서는 몇 달간 기도로 준비해온 주최측의 판단을 존중하는 것이 옳다는 마음을 주셨다.

"하나님, 내려놓겠습니다."

그런 다음 돌이켜보니 내가 처음 중국 유학생수련회에서 말씀을 전할 때에도, 초청받지도 않았는데 전체 학생들에게 말씀을 전할 기회를 얻은 유례없는 일을 경험했음이 생각났다.

"하나님, 하긴 계속해서 이례적인 일을 당하게 되네요. 비록 이번 일로 마음 아프긴 해도 이 상황도 결단을 통해 경험하게 하신 것 그리고 또 한 번 내려놓을 기회를 주심에 감사합니다."

하나님이 말씀하셨다.

"잘 결정했다. 실은 오늘 저녁에 많이 아파서 어차피 강단에 서기 어려운 상황이니 이 기회에 쉬려무나."

다시 물었다.

"하나님, 내 잘못이 무엇이지요? 하나님께서 가라는 사인을 주시고 비행기표 값까지 채워주시고 길을 열어주셔서 이곳까지 왔는데… 내가 무엇을 잘못한 것인가요?"

"이 일을 통해 너와 이야기할 것이 있단다."

하나님은 계획이 있으셔서 나를 이곳에 오게 하셨다는 답을 주셨다.

나를 새롭게 만나시고 내게 가르쳐줄 것이 있으셨던 것이다. 그러고 보니 근 한 달째 사역으로 바빴을 뿐 하나님과 친밀한 교제를 나누지 못했다는 자각이 들었다.

깊이 생각해보면 나는 그간 유학생수련회에서 늘 인기 있는 강사 축에 들었다. 늘 말씀에 은혜 받았다는 이야기를 듣는 일에 익숙해 있었다. 강사로 초대받은 분 가운데 엉뚱하거나 식상하거나 세속적인 말씀을 전하신다고 판단되는 경우, 속으로 그 분들을 품지 못했던 일이 생각났다. 그리고 '비인기' 강의를 하시는 분들의 마음도 충분히 헤아려드리지 못했음을 깨달았다. 내가 그런 처지가 되고 보니 비로소 내 안에 있던 굳은 마음을 깊이 회개하게 되었다.

깨끗한 그릇으로 담대하게

그릇은 한 번 사용하고 나면 다시 깨끗이 닦아야 한다. 그런데 오랫동안 닦지 않아 딱딱하게 굳은 음식 찌꺼기가 내 안에 더덕더덕 붙어 있으니 그것을 떼어내고 씻는 작업이 필요했던 것이다. 딱딱한 것을 떼려니 아픔이 동반될 수밖에 없었다. 내 안에 또 다른 의문이 생겼다.

"하나님, 나는 이 기회를 통해서 하나님과 깊이 만날 수 있어서 감사하지만 저 아이들은 어쩝니까? 이곳에서 나의 부적절한 말씀 때문에 필요한 영의 양식을 공급받지 못했다면…."

사실 계속 기도하며 아이들은 어쩌냐고 물으면서 나는 그 뒤에 숨겨놓은 말이 있음을 깨달았다. 아이들이 은혜 받아야 하는데 바로 '나를 통해서' 그래야 하지 않느냐는 말이었다. 하지만 주님의 말씀을 들으며 그것이 나의 주제넘는 오해였음을 깨달았다. 내가 아무리 그 학생들을 위하는 마음이 있다 해도 하나님이 그들에게 은혜 주고 싶어 하시는 마음보다 더 크랴? 그렇지 않을 것이기 때문이다.

"사람의 영혼을 변화시키는 것은 내 영역이다. 너의 사명은 내가 네게 준 말을 전하는 것뿐. 너는 네 할 일을 다 했다. 네 말씀이 필요한 아이들을 위해 나는 너를 이곳으로 불렀다."

주님의 말씀이 나에게 깊은 위로가 되었다. 그리고 사람의 눈과 하나님의 눈이 다를 수 있음을 확인했다. 그 후 하나님께서는 진행본부의 총무로 섬기고 계신 목사님을 위로하기 원하신다는 마음을 주셨다. 그래서 아침에 강사 숙소로 찾아온 그 목사님을 안아주며 하나님이 위로하기 원하신다고 전했다. 아울러 저녁집회 강의는 내려놓았으니 진행본부 측의 판단에 따라 적합한 분을 세우면 된다고 말했다. 그리고 어제 내 말씀에 비판적이던 강사에게도 "제게 솔직해주셔서 감사합니다"라고 말할 수 있었다.

그런 다음 아침에 산책하며 묵상의 시간을 가졌다. 하나님과 대화하는 그 시간을 통해서 하나님의 섬세한 만지심을 깊이 느끼는 시간을 가졌다.

나는 말씀에 실패했다고 생각했지만 신기하게도 나에게 학생들의 상담이 이어졌다. 학생들을 상담하는 가운데 자기 내면의 문제들을 들여다보기 시작했다고 고백하는 학생들을 여럿 만났다. 나는 혹시 내 말이 어려웠는지 다른 학생들에게 슬쩍 물어보았다.

그러나 아이들은 재미있고 쉬웠다고 답했다. 나는 다시 혼란스러웠다. 한 가지 분명한 것은 말씀을 전할 당시 겉으로 드러나는 반응만으로 학생들의 변화 여부를 판단할 수 없다는 사실이었다. 다른 짓을 하거나 심지어 졸더라도 들을 수 있다. 겉으로는 변화가 없는 것 같아도 마음속에 어떤 파문이 일기도 한다는 것을 알았다.

마지막 날 아침 폐회 예배 후 세 명의 학생이 단상에 나와 받은 은혜를 나누었는데 한 학생이 “이용규 선교사님의 말씀을 통해서 하나님을 새롭게 만날 수 있었습니다”라고 고백했다. 나는 그때 비로소 내가 전하는 하나님의 말씀이 필요한 누군가를 위해 하나님께서 나를 이곳에 보내셨음을 확증하시기 위해 그 학생을 강단에 세우셨음을 깨달았다.

청소년수련회가 끝난 후 모 교회 청소년부 전도사님이 내게 이런 말을 전해주었다.

“우리 아이들이 이번 집회가 지난 번 집회보다 더 좋았다고 하네요. 수고하셨습니다.”

학생들의 앙케트로 동일한 의견이 모였다. 이 청소년수련회를 통해 하나님께서는 나를 만져주셨고 내게 많은 깨달음을 주셨다. 내가 비록 예정된 말씀을 다 전하지 못했지만 하나님의 사역은 성공으로 이어졌다. 나는 내가 원하는 방식대로 하나님께서 움직여주시기를 원했다. 그러나 하나님께서는 거기에 제약받지 않고 더 창의적인 방법으로 집회를 주관하셨다.

12장 아버지의 사랑을 만끽하는 더 내려놓음

무엇이 우선인가?

몽골에 온 첫 해에 나는 지방에 나가 사역할 기회가 여러 번 있었다. 그때마다 하나님께서는 좋은 결실을 주셨다. 어느 지방에 가서 주말 동안 전도를 했는데, 전도 집회에 백 여 명이 모였고 결신의 시간에 50명 이상이 주님을 영접하겠다고 고백한 일도 있었다.

그런데 하루 종일 열심히 사역하고 말씀을 전한 나는 그만 맥이 빠지고 버림을 받은 듯한 느낌을 받은 적이 있었다. 사역은 불 일듯 일어나는데 아버지와의 관계에 구멍이 난 느낌이었다. 사역 위주로 몰아치던 나를 돌아보는 순간이었다. 하나님의 일은 했지만 그래서 쓰임은 받았는지 모르지만 아버지와의 관계에 문제가 생긴 것이다.

우리는 때로 하나님의 거룩한 일을 한다고 하면서, '거룩한 일을 하니까 집착해도 된다'라고 생각한다. 그런데 어느 순간 그 속에 나의 영광과 하나님의 영광이 섞여 들어가기 시작한다. "하나님, 영광 받아주옵소서" 하고 일하면서 사실은 내가 뒤에서 영광을 받고 싶어 한다. 그래서 하나님은 말씀하신다.

"나는 너를 너의 사역의 결과로 평가하지 않는다."

우리가 영적으로 고갈되어 있더라도 사역은 할 수 있다. 그렇지만 정작 나 자신은 점점 더 고갈된다. 주님과의 관계가 점점 더 멀어지기 때문이다.

쓰임 받는 것과 하나님과 개인적인 관계를 갖는 것은 다른 것이다. 예수님은 마르다와 마리아 중 예수님을 대접하기에 분주했던 마르다보다 예수님과의 교제를 택한 마리아를 칭찬하셨다. 예수님께서 그 집에 오신 이유는 대접을 잘 받기 위해서가 아니라 교제하며 나누기 위해서였다. 사역 맡은 자들은 이 점을 깊이 생각해볼 필요가 있다.

작년에 나의 사역이 점점 더 커지는 반면, 아내가 영적으로 어려워졌다. 나는 가정을 돌보아야 한다는 경각심을 갖게 되었다. 가능한 한 사역의 기회를 줄이고 가정에 머무는 시간을 늘리고자 노력했고 특별히 집에서 아내와 가정예배 드리는 일에 주력했다. 나는 이것이 주님이 주신 바른 생각임을 계속해서 확인받았다. 아내는 늘 연구소에서 바쁘게 지내다가 집으로 돌아와 두 아이들에게 시달렸다. 부부간에 따뜻한 말이 오가는 시간도 그리 많지 않았다. 심지어 내가 예배를 인도하는 동안에도 아내는 아이들과 씨름했다. 아내의 영적 목마름이 채워지지 못한 채 오랜 시간이 흘렀다는 것을 나는 비로소 깨달았다.

나는 아내의 일차적 정체성이 연구소 소장이 아니라 선교사임을 분명히 할 필요가 있다고 생각했다. 선교사의 일차적인 임무는 자신의 영성 관리이며 하나님과의 관계를 조율하는 것이라고 생각한다. 자신의 영성 관리에 실패하면 그 폐해가 주변으로 흘러가게 마련이다. 선교사는 사역자이기 전에 하나님 앞에서 한 마리의 양으로 서야 한다. 양이 목자를 떠나 있으면서 다른 양을 돌볼 수는 없다. 그렇게 되면 비록 연구소의 일이 돌아가더라도 그것은 더 이상 하나님의 일이 아니다. 교회 사역 역시 마찬가지이다. 사역은 일어나더라도 나와 내 주변의 관계 속으로 생명이 흐르지 못하게 된다.

우리 부부는 서로의 사랑을 확인하고 또 영적으로 함께 새로워지는 노력이 필요하다고 보았다. 나는 아내에게 모든 장애를 불사하고 며칠 시간을 비우도록 요청했다. 일주일간 함께 예배를 드렸고 그 가운데 하나님은 우리 안에 회복되어야 할 것들을 보여주셨다. 나는 내 안에 죽어야 할 모습들을 다시 확인하고 그것을 하나님께 가지고 나갔다. 아내의 영에 조금씩 기쁨이 스며들기 시작했다. 하나님의 섬세한 인도하심이었다.

이 과정을 통해서 아내도 깊이 있게 자신을 성찰하며 회개하는 시간을 갖게 되었다. 가정예배도 더 자주 깊이 드려야 한다는 것을 알았다. 하나님은 나와 아내의 관계가 좀 더 친밀해지기를 바라셨다. 우리는 시간을 내서 영화관에서 함께 영화를 보기도 했다. 이렇듯 다른 사람들의 영혼을 돌보는 사역자의 삶에는 지속적인 쉼표와 중간점검이 필요하다.

몇 달 후 아내는 연구소 사역을 내려놓고 가정에 남기로 결정했다. 아내는 기도하는 가운데 자신이 사역에 집착하고 있다는 것을 깨달았다. 또 사역이 자기 정체성의 근원이 되어버렸음을 보았다. 자신에게 하나님께서 주신 더 큰 사명이 있음을, 자녀를 돌보고 남편의 사역을 돕고 중보하는 자로 굳게 서는 것임을 기도하는 가운데 확인한 것이다.

조율의 시간

작년에 감기로 몹시 앓다가 몽골국제대학교에서 함께 사역하는 어느 목사님께 기도를 부탁한 적이 있다. 기도 중에 "왜 이리 분주히 지내는가?"라는 질문을 받고 몇 가지 걸리는 문제가 있었다. 나는 최근에 들어온 여러 가지 부탁을 그 자리에서 모두 "하겠다"고 대답했다. 하나님은 내가 하나님께 먼저 묻고 기도하기를 바라셨다. 그 점을 깨닫자 나는 요즘 세밀하게 기도하지 않은 나를 돌아보며 깊이 회개했다. 그새 감기 기운이 한풀 꺾이고 몸이 한층 가벼워지는 것을 느꼈다.

한번은 내가 서연이를 몹시 야단치고 난 후 한동안 서연이가 내게 가까이 오지 않고 나를 밀어내곤 했다. 어느 날 저녁 동연이와 서연이가 한 침대에서 놀고 있을 때 이제 잘 시간이라고 말하며 내가 방으로 들어서자 서연이가 고래고래 고함을 지르며 외쳤다.

"가! 가!"

기도하다가 문득 서연이의 모습이 떠올랐다. 그때 그 모습이 마치 나와 하나님의 관계를 보는 것 같았다. 내가 하나님의 자녀인 것은 분명한데 최근 여러 사역을 결정하는 과정 중 때로는 하나님께 묻지도 않고 내가 좋은 대로 하는 나의 태도가 "하나님, 저리 가세요"라는 자세와 비슷하다는 생각이 든 것이다.

나 스스로 하나님과 가깝다고 자부했지만 정작 하나님의 임재와 은혜 가운데 충만히 거한 지 오래되었는데도 어느새 불감증에 걸린 듯한 내 모습을 보았다. 하나님은 나의 가장 세밀한 관심사까지 함께 나누어야 할 친구이건만 어느새 하나님에게서 멀어진 내 모습과 그것이 잘못인 줄 몰랐던 일이 마음에 걸렸다. 그 후 다시 조율되는 느낌을 받았다. 나는 마치 바이올린 현(絃) 같아서 하루라도 튜닝을 하지 않으면 제대로 연주할 수 없다. 나는 하나님의 임재로부터 멀어졌으면서도 무감각했음을 고백하고 회개하며 깊이 기도했다.

사역은 언제든지 주어진다. 사역보다 자신의 영적 영역과 가정을 돌아보는 것이 우선이다. 물론 내 건강을 돌아보고 쉬려 할 때 하나님께서 좀 더 일하라고 하실 때도 있다. 때로는 가정에 어느 정도 무리가 되더라도 하나님께서 우리 가족 모두 주님이 부르신 일에 더 깊이 헌신하기를 바라시는 특별한 경우도 있다.

그러나 우리는 가정을 위해 가장 많은 시간을 할애해야 한다. 보통은 '가정'이 일차적으로 내려놓아야 할 대상이 아니라 '사역'이 일차적으로 내려놓아야 할 대상인 경우가 많다. 우리는 주님께 늘 묻고 그 뜻에 민감하게 반응해야 한다.

육체에 주신 메시지

어느 날, 아내 최주현 선교사가 맨홀에 한쪽 다리가 빠지면서 부상을 입었다. 그날도 정신없는 하루였다. 아내는 산사르 방송국에서 갑작스레 인터뷰를 하겠다고 연구소로 찾아오는 바람에 경황없이 인터뷰를 마치고 급히 집으로 돌아왔다. 집에는 마침 전기가 나가서 불이 들어오지 않았다. GO 선교회 기도모임에 음식을 한 가지씩 준비하여 참석하기로 했는데 준비도 못하고 허겁지겁 달려가 모임을 마치고 나오다가 그 집 앞 맨홀을 밟았는데 그 뚜껑이 열려 있었던 것이다.

몽골에서는 늘 땅을 보고 다녀야 한다. 곳곳에 안전을 위협하는 요소들이 있다. 나도 가끔 불쑥 솟아 있는 쇠붙이에 부딪히곤 한다. 특히 맨홀 뚜껑은 사람들이 훔쳐다 팔기 때문에 아예 뚜껑이 없거나 헐거워서 잘못 밟을 경우 매우 위험하다. 병원에 가보니 엄지발가락에 금이 갔다고 한다. 깁스를 하고 들어온 아내의 모습을 보니 안쓰러웠다.

그날 저녁 수요예배에서 말씀을 전하기에 앞서 혀가 부어올라 말을 하기에 불편했다. 나는 교인들에게 내 혀가 하나님 말씀 전하는 일을 방해하지 않도록 기도해달라고 말했다. 이번에 아내의 사고를 보며 나는 그 이유를 묻고자 기도했다. 그러고 보니 내가 외국 집회에 갈 때마다 가기 전에 아팠던 일들이 기억났다. 영적 전쟁이 시작되었기 때문이다.

나는 아내의 사고가 하나님이 말씀하시고자 하는 바가 있는 것인지, 우리에게 회개할 것이 있기 때문인지, 아니면 우리의 성장을 위해 허락하신 일인지 계속 분별해야 한다고 생각했다. 그 무렵 호주에서 열린 집회에 아내가 선택 강의를 맡기로 되어 있었다. 아마 그 일 때문인지도 모르겠다고 생각했다.

나는 내가 아내와 함께 호주 집회를 섬기는 것이 하나님의 뜻인지 물었다. 며칠간의 기도 끝에 '종으로서' 라는 말씀을, 다음날 새벽기도에 '내 양을 먹이라' 라는 말씀을 받았다. 결국은 가되 섬기기 위해, 그리고 주님의 양을 먹이기 위해 가라는 뜻으로 받고 호주에 함께 가기로 최종 결정을 내렸다.

하나님만 의지하는 외줄타기

출발이 임박했을 무렵 몽골에 있는 여행사에서 호주 비자 발급 신청을 별도로 대행해주지 않는다는 사실을 알았다. 다시 알아보니 대한항공 카운터를 통해서 전자 비자를 발급받는 방법이 있다고 들었다. 그래서 한국에서 호주 비자를 신청하도록 전화로 조처해두었는데 아내의 비자가 거부되었다는 통보를 받았다. 아마 동명이인 가운데 비자 발급에 문제가 되는 사람이 있었던 모양이다.

문제는 금요일 저녁에 이 사실을 알았다는 것이다. 토요일에 한국으로 가서 주일에 3시 반까지 집회를 하고 바로 공항으로 가야 했다. 그런데 비자 발급이 거부된 상태에서 공항 카운터에서 다시 비자를 신청한들 달리 방법이 없을 것 같았다. 나는 과연 우리 가족이 호주에 가는 것이 맞는지 다시 기도하며 하나님께 물었다. 정말 아무것도 모르겠고 하나님의 뜻을 구하는 일이 참으로 어렵다는 생각만 들었다.

하나님으로부터 가라는 말씀을 들었건만 호주 비자가 나오지 않은 상황에서 한국행 비행기에 올랐다가 결국 한국행 비행기표만 날릴 수 있었다. 떠나기 직전 기도하는 우리 부부에게 하나님께서는 다시 '믿음으로' 라는 마음을 주셨다. 나는 아내와 가족이 호주에 갈 수 있든지 아니면 못 가고 한국에 남든지 간에 믿음으로 가는 것이 우리의 옳은 반응이라는 생각으로 가족과 함께 몽골 공항으로 떠났다.

한국에서 주일예배 설교를 마친 다음 우리는 곧바로 삼성동 공항터미널로 갔다. 대한항공 직원이 다시 비자를 확인해보니 역시 아내의 비자는 나오지 않았다. 나는 여기서 끝이구나 싶었지만 그 직원이 호주에 전문을 넣어 혹시 응답이 있는지 알아보자고 했다. 주일 저녁, 떠나기 직전이라 가능성은 없어 보였다. 그런데 30분 후 극적으로 호주 공항 측으로부터 아내의 입국 허가가 났다. 그런 다음 우리는 공항으로 향했고 비행기 출발이 지연되는 바람에 여유 있게 비행기에 오를 수 있었다.

호주에 도착하여 시간을 보내면서, 나는 왜 아내가 발까지 다쳐가며 하나님께서 이 집회를 위해 중보하게 하셨는지 알게 되었다. 나는 집회의 마지막 날 폐회예배 직전에 말씀을 전하도록 일정이 잡혀 있었다. 그 전까지 세미나에 참석하는 일 외에 아내가 강의하는 동안 나는 아이들을 돌보며 지냈다. 그런데 셋째 날 집회를 마치고 나서 나는 학생들을 향한 안타까운 마음이 들었다. 그들이 꼭 들어야 할 말씀이 있는데 그것을 먹지 못해 영혼이 갈급해 하는 것이 느껴지자 속에서 불이 일었다.

보통 마지막 날 아침 시간은 아무래도 말씀의 불을 일으키기 어렵다. 하지만 하나님께서 내 마음에 불을 주셨다. 말씀을 마치고 기도하는데 통회하는 외침들이 터져 나왔다. 학생들 속에 있던 울음들이 분출되기 시작했다. 하나님께서는 말씀을 통해 갈급하고 상처 입은 마음들을 만지셨다. 아내가 진행한 세미나 시간에도 하나님이 만지심이 있었다. 많은 자매들이 아내의 간증에 도전을 받았고 상담을 통해 힘을 얻었다.

하나님께서는 아내의 사고로 하나님을 바라는 우리의 믿음을 단련하셨다. 그 일로 우리는 영적 전쟁 가운데로 부르심을 받았고 주님의 우리를 향한 뜻은 이루어졌다. 고통이 우리 삶에 끼치는 또 하나의 유익이었다(롬 8:28).

누구를 위한 충성인가?

우리가 과연 하나님을 사랑하기 때문에 충성하는 것인지 아니면 다른 동기를 가지고 충성하는 것인지 언뜻 보기에는 잘 구별하기 어렵다. 하지만 하나님께서는 분명히 구별하신다. 충성의 대가를 바라거나 자신에게 돌아올 유익을 구하는 충성은 하나님께서 인정하지 않으신다. 어느 선교사 사모님이 밝은 빛 가운데 자기 앞에 항아리가 놓여 있는 것을 보았다. 그 항아리가 무엇을 상징하는지 궁금해진 그가 주님께 질문하자 주님이 답을 주셨다.

"그 항아리 안에는 네가 평생 동안 나를 위해 불렀던 찬양이 담겨 있단다."

이 사모님은 성악을 전공한 분이다. 그래서 어려서부터 교회에 다니며 수많은 특송과 찬양대 찬양을 해왔다. 독창한 적도 매우 많았다. 그렇기에 그 항아리에 찬양이 가득 담겨 있으리라 자신했다. 그런데 막상 그 안을 들여다보니 겨우 바닥을 채운 정도의 적은 물이 들어 있었다. 사모는 놀라 하나님께 다시 물었다.

"어머, 이것이 정말 내가 부른 찬양 전부가 맞나요? 혹시 잘못된 건 아닌가요? 그동안 내가 부른 찬양이 얼만데…."

주님이 말씀하셨다.

"항아리에는 네가 오직 나만을 위해 부른 것만 담았단다."

하나님은 섞인 영광을 받지 않으신다. 때로는 주님께 영광을 돌리는 순간에 나도 영광받기를 바랄 때가 있다. 내 것과 주님 것이 섞여 있다면 그것은 주님이 받으실 수 없다. 지극히 거룩한 분께 합당한 영광과 인간이 받을 수 있는 영광은 뒤섞일 수 없다. 사역을 통해 주어지는 성취감이나 칭찬은 달콤하지만 우리가 여기에 중독되면 우리의 영혼은 메마르게 된다. 자칫 하나님의 영광을 가로채버리거나 아버지의 무조건적인 사랑을 구하지 않게 되기 때문이다.

내가 받은 사명을 이루려고 노력하는 가운데 그것으로 주님의 영광을 추구하는지 내 영광을 추구하는지 알 수 있는 순간이 있다. 내가 그 일이 망했다고 느낄 때이다. 자신이 실패하고 또 인정받지 못했다고 느끼면 어떻게 반응하는가? 그 순간 하나님이 원망스럽고 서운하다면 하나님이 아닌 자신을 위해 그 일을 했을 가능성이 높다. 실패에 직면하는 반응을 보면 내가 정말 무엇을 위해 사명을 추구해왔는지 분명히 알게 된다.

우리가 신앙생활 하는 목적을 자아실현에 두는 경우가 있다. 내 가치를 증진시키고 내 행복을 확대하기 위한 수단으로 신앙생활 하는 것이다. 이것은 대가를 바라고 아버지 집에서 일하는 큰아들의 모습이다. 복음의 삶과 관계가 없다. 내가 죽고 주님이 사시는 삶, 성공이 아닌 주님의 거룩과 영광을 목표로 사는 삶이 아니라면 우리의 삶은 복음의 삶과 매우 다른 방향으로 가고 있는 것이다.

혹시 첫째 아들처럼 하나님의 사랑을 누리며 살지 못했다면 지금 이 시간에 간구하기 바란다. 이 시간부터 하나님의 사랑을 누릴 수 있게 해 달라고. 아버지의 사랑을 의심하고 오해했던 분들은 그 오해를 풀어달라고. 내가 하는 일을 통해서 내 존재 가치를 인정받으려고 했다면 이 시간 그것을 내려놓으라. 영원하신 아버지의 사랑을 신뢰하면서.

우리가 가진 판단의 차용증서를 찢어버려라. 상처 준 사람을 용서하지 못하는 나의 마음과 다른 사람의 성숙도를 판단하는 마음, 그리고 율법이나 자기의(自己義)의 잣대로 상대방을 정죄한 태도를 이 시간 회개하기 바란다. 우리의 고백은 오직 한 가지뿐이다.

"하나님, 나는 주님 한 분만으로 만족하겠습니다."

13장 더 내려놓기 위한 온전한 내려놓음

내려놓음이란 내 자아를 십자가에 못 박는 것이다

《내려놓음》에 나오는 '내려놓음'이라는 단어는 복음의 핵심 가치인 자아를 십자가에 못 박는 것을 의미하며, 그것을 우리의 신앙생활 가운데 좀 더 쉽게 이해하도록 하기 위해 빌려온 표현이다.

내려놓음이라는 용어를 가장 간단히 정의(定義)하자면, 내가 추구하는 길과 주님이 내 인생 가운데 부여하신 목적이 서로 다를 때 내가 추구하는 것을 버리고 주님의 목적을 붙잡는 것을 의미한다. 또는 내가 추구하는 것, 내가 목표로 삼았던 것이 하나님이 나를 향해 갖고 계신 뜻과 다르다는 사실을 확인할 때, 하나님의 뜻에 내 추구와 목표가 부합되도록 맞추어 가는 것이다.

즉, 내가 가진 열망과 내게 익숙한 길을 버려두고 주님의 뜻을 좇는 삶을 지향하는 것이다. 세상을 향한 내 육신의 욕구가 죽고 주님의 거룩하심이 나를 지배할 수 있도록 내 의지를 주님께 맡기는 것이라고 말할 수 있다.

결국 내려놓음은 나의 갈망이나 욕구를 하나님의 목적과 뜻에 맞추는 과정이다. 따라서 하나님의 뜻을 구하는 것과 내려놓는 삶은 항상 맞물려 가게 되어 있다. 이 정의가 내려놓음과 관련한 많은 오해를 해결해 줄 수 있다고 생각된다.

제멋대로 내려놓아서는 안 된다

흔히 "선교사님의 말씀을 듣고 나서 내려놓는 삶을 살고자 하는 열망이 생겼습니다. 그런데 내 삶에서 지금 이 시점에서 무엇을 내려놓아야 할까요?"라고 질문한다. 무엇을 내려놓을지 고민한다는 것은 질문자가 아직까지 자신의 삶에 대한 주님의 뜻과 계획을 알지 못하는 것이다. 그때마다 나는 "주님께 물으십시오"라고 답한다.

어느 교회의 중등부 교사 한 분이 "많은 학부모들이 오늘 선교사님의 말씀을 듣고 자녀들이 공부를 내려놓겠다고 할까 봐 걱정이랍니다"라고 말했다. 어떤 목사님은 《내려놓음》을 읽은 교사 중에 "그동안 주일학교 교사 직분을 감당하기 어렵다고 고민만 하고 있었는데 마음의 자유를 위해 이제 그 직분을 내려놓겠습니다"라고 하는 분도 있었다고 전했다. 또 어떤 청년은 농담 삼아 "난 서울대학교는 내려놨습니다"라고 말했다.

이런 극단적인 경우에 대해 들으며 나는 저자로서 아마 더러는 농담 삼아 던진 말이려니 하고 생각한다. 그런데 이런 예들이야말로 우리가 내려놓음의 의미에 대해 어떤 오해를 가질 수 있는지 잘 설명해준다.

하나님의 뜻을 구하려 하기보다 일이 힘드니까 그만 포기해버리자는 식의 자세는 옳지 않다. 하나님의 뜻에 부합하기 위해 자신이 원하는 것을 버리기로 결단하는 학생이라면, 설령 자기가 하기 싫더라도 자신을 향한 하나님의 뜻이 공부하는 데 있는지, 아니면 공부를 포기하는 데 있는지 쉽게 구별할 수 있을 것이다. 왜냐하면 하나님의 성품을 고려해보건대 하나님은 시작하신 일을 온전히 끝마치지 못하는 경우가 없기 때문이다.

주일학교 교사 직분을 내려놓겠다는 교사의 경우, 물론 교사로서 가르치는 은사가 없는 사람이 무언가 봉사하고 싶은 마음에 억지로 교사직을 수행하려 한다면 문제가 된다. 그렇지만 교사직을 '내려놓는' 이유가 자신의 사회적 성공을 위해 더 많은 시간이 필요하기 때문이라면 주님께서 원하시는 내려놓음이 아닌 것만큼은 분명하다.

내려놓음은 하나님 말씀에 대한 순종이다

어떤 자매가 내려놓는다는 것이 예수님의 달란트 비유에서 한 달란트를 받았다가 땅에 묻어두기만 하여 주인에게 책망을 받은 종이 한 일과 어떻게 다른지 물은 적이 있다. 내려놓는다는 것이 자신의 책임을 방기(放棄)하고 수수방관하는 모습과 어떻게 다르냐고 물은 것이다.

내려놓는다는 것을 나의 욕구를 버리고 주님의 뜻을 구하는 것으로 이해하면 그 차이는 분명히 드러난다. 즉, 하기 싫은 일이라도 주님께서 원하시면 하겠다고 순종하는 것이 주님께 내려놓는 행위이다. 여기서 가장 중요한 것은 주님께서 원하시는 것이 무엇인지 주님의 뜻이 어디에 있는지 분별하는 것이다. 내가 보기에 좋은 것을 하는 것은 주님께 내려놓는 행위와 관계가 없다.

내 아내는 박사 과정에 들어가는 것을 부담스러워했다. 하지만 그것이 하나님께서 주신 사명임을 깨달았을 때 순종했다. 한 아이의 엄마이자 아내로 박사 과정의 어려운 고비를 맞을 때마다 포기하고 싶어 하기도 했다. 그러나 주님의 뜻을 알았기에 그 일을 지속적으로 감당할 수 있었다. 이것이 내려놓음이다.

때로는 박사 과정을 선택하는 것이 자기의 욕구를 따르는 넓은 길이 되기도 하고, 정반대로 박사 과정을 선택하는 것이 오히려 좁은 길로 가는 내려놓음이 될 수도 있다. 이것은 그 사람에게 박사 학위가 어떤 의미를 갖는지와 관련이 있다. 여기에서 중요한 것은 박사 과정을 내려놓느냐 계속하느냐가 아니다. 하나님께서 각 사람에게 어떤 삶의 과정을 예비하셨고 어떤 사명을 허락하셨는지 하나님께 여쭈며, 하나님의 말씀에 반응하는 것이 우선이다.

내 계획보다 더 좋은 하나님의 계획을 신뢰해야 내려놓을 수 있다

어떤 학생이 내게 이렇게 물었다.

"박사 학위까지 가진 분이 몽골로 가는 것은 낭비가 아닌가요? 그 지식을 가지고 좀 더 영향력을 끼칠 수 있는 영역으로 나아가는 것이 바른 태도가 아닐는지요?"

나는 이 질문 자체는 정당하다고 생각한다. 단 낭비인지 아닌지 결정하는 데 더 중요하게 고려해야 할 점이 있는데, 바로 하나님께서 그 사람에게 무엇을 원하시는가 하는 문제이다.

우리의 인생에서 하나님께서 주시는 사역의 기회를 버리는 것 이상의 낭비는 없다. 하나님의 인도하심에는 일관성이 있다. 하나님께서 모든 크리스천 박사 학위 소지자를 선교지로 부르신 것은 아니다. 하나님은 한 사람을 부르시고자 우리에게 지속적으로 말씀하신다. 또 여러 방식으로 같은 말씀을 확인시키신다. 하나님께서 부르시는 방식은 드라마틱하기도 하고 대개 일반적인 방식을 취하기도 한다.

내 삶을 인도해오신 과정을 돌아보더라도, 하나님은 변덕을 부리시는 분이 아니며 일관되게 우리를 인도하시는 분이라는 사실을 확인할 수 있었다.

어느 한인교회에서 말씀을 전하고 난 뒤 나는 우연히 군대에 있을 때 후임병이었던 사람과 만났다. 그가 내게 말하기를 "전부터 선교사로 나가고 싶다고 하시더니 정말 선교사가 되셨군요"라고 했다. 내가 그런 적이 있었느냐고 묻자 둘이 창고에 앉아 이야기를 나눈 적이 있는데 그때 유학을 마치면 언젠가 선교사로도 나가고 싶다는 희망을 나누었다고 한다.

그러고 보니 나와 아내가 미주 코스타에서 선교사로 헌신하기 이전부터 하나님께서는 일관되게 그 길에 대해 말씀해주셨고 나는 그 점을 새롭게 깨달았다.

나는 하나님께서 나를 학문의 길로 부르셨음을 알고 있다. 선교와 학문 이 두 가지는 내게 상충되는 것처럼 보였다. 나는 학문을 하기 위해서는 상아탑 안으로 들어가야 한다고 생각했다. 그리고 오로지 그 길 가운데 하나님께 영광을 올려드릴 무언가가 나오지 않을까 생각했다. 제3세계 선교지로 간다는 것은 학문을 포기해야 가능한 길이라고 본 것이다. 그러나 결국 하나님께서 말씀하신 것은 땅에 떨어지지 않는다는 것을 확인하게 되었다. 나는 제3세계의 대학교로 부르심을 받았고 이 가운데 지속적으로 학문할 수 있는 길들이 열리는 것을 보고 있다.

나는 이 두 가지 부르심이 서로 융합될 수 없다고 여겼다. 그렇지만 하나님께서는 이 두 가지 부르심 모두 한꺼번에 이루어주셨다. 내가 예상한 방식이 아닌 나의 예상을 뛰어넘는 방식으로 이 부르심을 이루신 것이다. 결국 하나님의 인도하심은 극적이자 동시에 일관성이 있었고 나는 경험으로 그것을 인정하게 되었다.

하나님께서 어느 박사 학위 소지자를 선교지로 부르셨다면 그것은 하나님이 보시기에 그 사람에게 최선의 기회가 되기 때문이다. 따라서 이 부르심을 거절하는 것은 정말 어리석은 짓이다. 하나님께서 각 사람을 부르신 각각의 자리가 있다.

하나님의 계획이 나의 계획보다 더 좋다는 것을 경험적으로 알아갈 때, 우리는 더 쉽게 내려놓을 수 있다. 하나님을 향한 신뢰야말로 우리가 내려놓을 수 있는 열쇠가 된다.

내려놓음이란 행복 포기, 욕망 비움이 아니다

때로는 현재 자신이 감당하고 있는 것을 유지하는 것이 내려놓는 행위가 되기도 한다. 이런 점에서 기독교의 내려놓음은 다른 종교에서 말하는 포기나 비움과는 다르다.

우리는 불가(佛家)에서 말하는 '비움'에 익숙하기 때문에 무소유, 무소욕을 성경적 내려놓음과 유사한 개념으로 착각하기 쉽다. 하지만 이 둘 사이에는 본질적으로 다른 것이 존재한다. 유교 선비의 청빈한 생활 내지 도교의 득도(得道)를 추구하는 도사의 삶을 그리스도인의 내려놓는 삶과 동일시하는 것 역시 오해이다. 물론 비슷한 부분이 있지만 근본적으로 다르다.

그 첫 번째 차별점은 하나님 안에서의 내려놓음이 단순한 행복의 포기나 욕망의 비움을 의미하지 않는다는 것이다. 때로는 계속하기 어려운 일도 회피하거나 포기하지 않고 끝까지 붙들고 나아가는 것이 그리스도인의 내려놓음이 될 수 있다.

하나님 안에서의 내려놓음은 자신의 삶을 하나님으로 채우는 적극적인 행위이다. 단순히 비워내는 것이 목적이 아니라 하나님으로 채우는 것이 목적이다. 주님이 원하시기만 하면 세상 속으로 들어가 책임을 떠맡는 자리를 감당하는 일, 하나님이 쓰시기에 합당한 자로 구비되도록 적극 훈련받는 행위가 내려놓음의 한 표현이 되기도 한다. 따라서 주님 앞에 내려놓는 행위는 자포자기와 분명히 다른 개념이다.

그리스도인들 가운데 흔히 자기에게 행복한 일이면 하나님의 뜻이 아닐 거라고 우려하는 경우를 보게 된다. 그저 음울하고 가난하고 불쌍한 모습을 대단한 영성의 지표처럼 착각하는 경우도 있다. 물론 내 열망을 하나님께 투사하며 내가 행복해지는 것이 하나님의 목적이라고 보는 것은 대단히 위험하다.

그러나 그 반대도 동일하게 문제가 될 수 있다. 마치 부(富)가 하나님이 주시는 복의 구체적 결과물이라고 주장하는 것도 위험하지만 그 반대로 부가 인간 타락의 도구일 뿐이라고 주장하는 것도 성경적이지 않은 것과 마찬가지이다. 성경에 나오는 믿음의 조상들처럼 하나님께서 부하게 하실 때는 부한 데 거하다가 핍절하게 하시면 핍절한 삶 가운데 겸비하며 감사함으로 삶을 영위하는 것이 주 안에서 아름다운 것이다. 즉, 하나님께서 내게 허락하신 것에 순복하며 하나님의 뜻 안에서 즐거워하는 것이 내려놓음의 지혜이다. 따라서 내가 포기하고 버리려는 것이 하나님이 원하시는 것인지 늘 물어야 한다.

때로는 가지고 싶어도 주님께서 버리라고 하실 때가 있고, 때로는 버리고 싶은데 하나님은 가지라고 하실 때도 있다. 하나님이 누리라고 주신 것들을 의도적으로 포기하는 것은 자기의(自己義)이다. 하나님의 뜻을 묻지 않고 무조건 가난을 자처하거나 포기하려고 하는 태도 역시 자칫 자기의가 되기 쉽다.

하나님이 도와주셔야만 내려놓을 수 있다

하나님과의 교제가 깊어질수록 하나님의 뜻과 내 뜻은 하나로 합해진다. 예수님의 뜻이 하나님의 뜻과 합한 것처럼 내 뜻과 하나님의 뜻이 합일하는 것이다. 하나님의 뜻에 따르는 것이 내 삶의 가장 큰 기쁨이 된다. 예수님께서 내 양식은 나를 보내신 이의 뜻을 따르는 것이라고 말씀하신 것(요 4:34)이 바로 이것이다.

나는 몽골에 가서 사역하느라 얼마나 힘이 드느냐는 질문을 많이 받았다. 그 질문에 대해 나는 "한국에서 자녀교육 시키시느라 얼마나 고생이 많으십니까?"라고 대답한다. 선교사들은 자신이 기뻐서 선교지로 나온 사람들이다. 선교지에 있는 것이 기쁨이다. 물론 선교지에는 어려움이 있게 마련이다. 하지만 그것이 하나님께서 나를 위해 예비하신 연단의 과정이라는 사실을 이해하면 할수록 어려움이 곧 감사의 조건이 되는 경험을 하게 된다. 나는 몽골에서 하나님을 누릴 수 있다는 사실이 정말 감사하기 때문에 문득 하나님께서 나를 몽골로 불러주지 않으셨으면 어쩔 뻔했나 하고 생각한 적도 많다.

그리스도인의 내려놓음은 하나님이 내 마음에 들어오심으로써 이루어진다. 우리는 흔히 불교 전통의 영향으로 내려놓아야만 하나님을 누릴 수 있다고 단정하기 쉽다.

그러나 그 반대도 주 안에서 가능하다. 나는 여전히 세상을 추구하던 사람이지만 하나님께서 내 마음속으로 들어오시면 내 안에 자라고 있던 세상을 향한 마음이 사라지고 주님을 기쁘시게 하고자 하는 열심이 자라는 경우를 보기 때문이다. 즉, 컵의 물이 비어 있어야만 주님의 보배를 담을 수 있는 것이 아니라 주님의 보배가 내 마음의 컵에 담기면 물이 넘쳐 흐르는 것도 가능하다.

불교에서는 자신의 노력으로 해탈에 이를 수 있다고 가르치지만, 그리스도인들은 하나님께서 도와주셔야만 내려놓을 수 있다고 고백한다.

어떤 독자들은 내게 어떻게 하면 내려놓을 수 있느냐고 묻는다. 사실은 이와 관련해서 우리가 할 수 있는 부분은 거의 없다. 죄악된 우리는 근본적으로 세상을 추구하고 따르며 주님을 거스르는 존재들이기 때문에 하나님의 도우심이 없이는 스스로 우리의 욕심과 자아를 포기하지 못한다. 오직 주님께 구하여 성령을 받음으로써 우리의 죄성을 극복하고 주님이 원하시는 모습으로 자라갈 수 있다.

《내려놓음》에는 '내 인생의 가장 행복한 결심' 이라는 부제가 달려 있다. '내려놓음' 이라는 책제목에 부담을 느낄 독자들을 고려한 부제목이기는 하나 사실 이 부제는 오해를 일으킬 소지가 다분하다.

주님이 마음을 주시고 또 결단할 수 있는 힘을 주시지 않는다면 우리는 내려놓을 수도 없고 또 내려놓았다고 생각하는 것이 하나님 보시기에 여전히 자기의를 쌓는 일이 될 수도 있다. 따라서 하나님께서 시키시는 내려놓음만이 의미가 있다.

하나님의 뜻을 구하는 것이 내려놓음의 출발이다

2006년 가을로 접어들면서 공무차 밖으로 다니는 일이 많아졌다. 기름값은 계속 오르는데 정부가 택시비를 동결했기 때문에 택시 운행을 많이 하지 않아 택시 잡기가 더욱 힘이 들었다. 지금은 괜찮지만 곧 겨울이 닥치면 문제가 될 것 같았다. 주위에서 차를 사도록 권유했지만 마음이 편하지 않았다. 혹 학교 사역이나 교회 사역에 차를 갖는 것이 방해가 될지도 모른다는 생각이 들었기 때문이다.

"도요타를 사세요. 몽골에서는 그래야 차를 다시 팔 때도 좋고, 엔진에 대한 걱정이 없어요."

운전을 하던 남해가 느닷없이 내게 말했다. 나도 기도하는 중에 도요타 프라다라는 차종의 명칭이 계속 머릿속을 맴돌았다. 하지만 이것이 하나님께서 주신 계시인지 아니면 내 안의 욕심인지 구분하기 어려웠다. 살 수 있는 능력이 되더라도 덕이 안 되면 안 된다는 생각에 "하나님, 어떤 차를 사는 것이 주님 보시기에 옳습니까?"라고 여쭈었지만 답이 없었다. 하지만 나는 계속해서 하나님의 분명한 사인이 올 때까지 기다리기로 했다.

그렇게 2,3일이 지난 어느 날 한국에서 전화가 왔다. 원래 몽골로 와서 사역지를 돌아보고 싶은 마음이 있었는데 기도하던 중 차라리 그 돈을 내가 차를 사도록 헌금하면 좋겠다는 생각이 들었다는 것이다. 알지도 못하는 분으로부터 차를 살 수 있도록 헌금하겠다는 연락까지 받자 나는 이것을 하나님의 사인이라고 느꼈다.

한 번도 차와 관련한 헌금이 들어온 적이 없었으며 나도 차가 필요하다고 말한 적이 없었다. 하지만 이제 차를 가지고 사역할 때이기 때문에 하나님께서 헌금과 전화로 사인을 주신 것이라고 깨달았다. 이미 여러 경로로 차종에 관해 말씀하셨고 마지막으로 헌금을 통해 확증해주신 것이다. 차를 사야겠다고 생각한 지 일주일 만의 일이었다.

다음날 중고차시장에 가서 도요타 프라다 한 대를 구입했다. 그런데 두 달쯤 되어 차량 헌금을 해주신 분으로부터 다시 전화가 걸려왔다. 헌금한 이후 고급 신형차를 선물로 받게 되었다는 소식이었다. 자세한 내막은 모르지만 하나님께서 선물로 주셨으니 감사할 일이라는 생각에 나도 기뻤다. 차를 주셔서 기쁘다기보다는 하나님께서 우리의 사정, 우리의 섬김 하나하나를 기억하고 계시며 또 갚아주기를 기뻐하신다고 교훈해주신 사실이 너무나 기뻤다.

복음을 거저 받은 우리는 대가를 바라고 누구를 도와서는 안 된다. 하지만 우리가 하나님의 계획 가운데 하나님의 일에 참여할 때 하나님이 주시는 선물이 있다. 하나님께서 원하시는 것을 행함으로 순종하는 것, 내려놓음은 우리에게 기쁨을 준다. 동시에 하나님의 성품을 배우며 하나님을 더욱 충만히 누리도록 이끌어준다.

타이밍과 방법까지 하나님께 맡기는 것이 내려놓음이다

내려놓는다는 것은 가난하고 없이 사는 삶을 의미하는 것이 아니다. 내려놓음이란 내 갈망과 소원을 버려두고 적극적으로 하나님이 나를 위해 예비하신 것을 찾고 선택하는 것이다. 하나님께서 응답을 주실 때, 때로는 급하게 주시지 않고 지속적으로 기도하게 하시며 조금씩 실마리를 열어주신다.

우리 가정이 2년 반 넘게 거처하던 게스트 하우스는 파송 선교회에서 교회 관사로 구입한 것이었다. 몽골에서 장기사역 하기로 결정하면서 아내와 나는 집 문제를 놓고 기도하기 시작했다. 그 무렵 거처를 옮겨야 할 상황이 조성되기도 했다. 이레교회 사역과 아내의 연구소 사역이 정리된 마당에 앞으로 올 선교회 사역자가 거주할 수 있도록 일단 집을 내주어야 했다.

옆집에 사는 중국인의 횡포도 적잖이 불편했다. 또 차가 생겼는데도 가까운 곳에 실내 주차 시설이 없어서 어려웠고, 커가는 아이들을 위해 그리고 집중해서 글을 쓰거나 작업할 공간을 확보하기 위해서라도 방이 3개 필요했다. 동역자들과 밤새워 기도할 수 있도록 안전하고 넓은 공간도 필요하다고 느꼈다.

그러나 집을 구하는 과정에서 우리는 하나님께 받았다고 생각한 응답과 사인을 해석할 때 타이밍과 관련하여 더욱 세심히 살피며 더 구체적으로 기도해야 한다는 것을 깨달았다. 하나님께서 이사하라고 말씀하셨더라도 그것이 지금 당장은 아닐 수 있다는 사실, 시간적으로 우리의 생각과 다른 시점을 말씀하실 수도 있기 때문이다. 주님의 뜻을 받았다고 생각할 때, 우리는 그 방법과 타이밍까지 지속적으로 구할 필요가 있다. 즉, 하나님께서 집을 예비해두셨다고 말씀하셨다면 구체적으로 언제 구해야 할지 다시 물어야 한다.

내 안에 소원과 갈망이 있을 때, 그로 인해 하나님의 말씀이 온전히 임하기보다 자신의 것이 섞이면서 자신의 타이밍과 방식대로 결정하려 하기 쉽다. 즉, 주님의 뜻을 구할 때, 구체적인 방법과 시간을 구하지 않으면 하나님의 일을 한다고 하면서도 실은 하나님의 뜻에 부합되지 않게 일할 수 있다는 것이다. 하나님께서 말씀하셨다 하더라도 지속적인 기도 가운데 검증을 받아야 한다. 또 내가 언제든 틀리게 갈 수 있다는 생각을 가지고 겸허하게 지속적으로 주님의 뜻을 살피는 것이 중요하다. 타이밍과 방식까지 하나님께 맡겨드리는 것이 바로 주님께 내려놓는 것이다.

나는 집이 필요하다고 생각했고 그래서 하나님께 집을 구했다. 그러나 하나님의 생각은 나의 생각과 달랐고 현재로서는 집을 포기하는 것이 옳다고 응답하셨다. 가령 내가 할 수 있는 의지와 능력이 있어서 그것을 해낼 수 있다고 생각할지라도 하나님께서는 그렇게 하지 않도록 인도하실 수 있다. 하나님께서는 내가 집을 이사해야 한다고 본 몇 가지 이유를 일일이 제거해주심으로써 하나님의 뜻을 확증시켜주셨다.

늘 술에 취한 채 웃통을 벗고 지내는 입이 거친 중국인은 우리가 여름에 집을 비운 사이 이사했다. 또 근처에 사는 사역자 한 분이 차를 주차할 수 있도록 주차공간을 빌려주기로 했다. 혼자 작업할 공간이 필요했는데 학교에서 개인 사무실을 마련해주었고 학교 내에 함께 기도할 수 있는 중보기도실까지 생겼다. 하나님께서는 집을 사려고 한 나의 계획을 보류 내지 중단시키셨고 동시에 내가 집을 사야 한다고 생각하게 만든 모든 문제들을 전혀 다른 방법으로 해결해주셨다.

왜 집을 사지 말았어야 하는지 하나님께서는 아직까지 그 이유에 대해 충분히 설명해주지 않으셨다. 그러나 내가 믿는 것은 하나님께서 내게 가장 좋은 선택을 하기 원하셨고 그래서 집 사는 일을 보류하게 하시거나 그만두도록 인도하시기도 한다는 것이다. 하나님께서는 우리에게 필요한 것은 다 허락하셨다. 이 사실을 경험적으로 알기에 집을 허락하시지 않는 것은 현재 우리에게 집이 필요하기보다는 해가 된다고 보셨기 때문일 것이라고 나는 굳게 믿는다.

주님의 때를 믿는 것, 이것이 주님이 우리에게 보기 원하시는 믿음이자 내려놓음이다.

무엇에 대해 묻고 맡겨야 하는가?

내게 주어진 상황과 내가 받은 사명이 무엇인가 그리고 내 결정이 그 사명을 감당하는 데 어떤 영향을 미치는지에 따라 우리의 문제는 달라진다. 우리의 일차적인 관심은 무엇이 하나님을 기쁘시게 하는가, 우리의 사명을 이루기 위해 그것이 필요한 것인가에 맞춰져야 한다.

우리가 모든 사소한 선택까지 하나님께 물을 필요는 없다. 어떤 볼펜을 선택할 것인지, 지붕을 무슨 색으로 칠할 것인지 등의 문제는 대부분 하나님께 꼭 여쭤보아야 할 사안이 아닐 수 있다. 영적 생활에 거의 영향을 끼치지 않는 부분이기 때문이다. 하나님께서는 우리에게 이성과 자유의지를 허락하셨다. 그에 따라 분별력과 선호도로 판단하면 된다.

그러나 우리가 반드시 하나님께 물어야 할 것이 있다. 우리의 사명, 영적 성장이나 유익, 하나님과의 교제, 섬김과 관련된 것들이다. 예를 들어 어떤 배우자를 선택할 것인지, 어떤 직장을 구할 것인지, 사역과 관련하여 어떤 원칙을 세울 것인지, 어떤 집을 얻을 것인지 등은 하나님과 우리의 관계에 영향을 끼치는 중요한 일들이다. 이 부분에 대해서는 하나님의 뜻을 묻고 그 뜻을 따르는 것이 우리의 영적 성장과 주님과의 교제에 유익하고도 중요하다.

| 에필로그 |

하나님과의 교제보다 우위에 서는 것은 없다

이 책의 제목이 '더 내려놓음'이라고 하면 사람들은 대체로 "아직도 더 내려놓을 것이 남아 있나요?", "얼마나 더 내려놓아야 하나요?"라고 질문한다. 이 질문에 대한 답이 아마 이 책의 결론이 될 수 있을 것 같다.

내려놓는다는 것은 나의 내려놓음 리스트에서 그것들을 하나씩 내려놓는다고 해서 되는 것이 아니다. 궁극적으로 내려놓는다는 것은 자신의 자아를 십자가의 예수님께 의탁하는 일이다. 내려놓음은 우리의 결단을 필요로 하지만 결단과 노력만으로는 불가능하다. 내려놓음은 평생 지속될 과정이다. 그러나 두려워할 필요는 없다. 우리 안에 이미 착한 일을 시작하신 주님께서 이 과정과 이 일 역시 주도해가시며 궁극적인 완성자가 되어주실 것이기 때문이다. 그래서 내려놓음의 첫 단계는 맡겨드림으로부터 시작한다.

사역보다 중요한 것

이 글을 쓰는 과정에서 하나님은 자신이 우상을 얼마나 싫어하시는지 다시 한 번 경험시켜주셨다. 내가 게으름을 피우려 하거나 글 쓰는 일에 자신을 잃을 때, 그리고 중간 중간 바쁜 일정으로 글쓰기를 미루려 할 때마다 하나님은 내 안에 책에 대한 부담감을 주시며 컴퓨터 앞에 앉도록 권고하셨다. 나는 하나님이 원하시는 글이라는 확신을 가지고 글쓰기에 집중하려고 노력했다.

그런데 글을 쓰다보면 글에 푹 빠질 때가 있다. 계속해서 다음 연결점을 찾아 글쓰기에 몰두하다보니 기도하거나 묵상하며 하나님과 교제하는 시간을 빼먹어가며 지내는 나날이 많아졌다. 이 일은 하나님이 시키셨으니 이 일을 하면 주님도 이해해주시겠지 생각하며 기도를 게을리하고 있었다. 그러나 하나님의 일을 하는 것과 하나님과 교제하는 것은 다른 영역이 될 수 있었다.

이 글을 마무리할 무렵 허리에 심한 통증이 왔다. 아픔에는 여러 의미가 있다. 처음에 나는 허리 통증이 단순히 무리한 일정과 집필 작업에서 오는 피곤함 때문이라고 생각했다. 그리고 영적 전쟁이라 여겼다. 그것은 이 책이 세상 밖으로 나오는 것을 싫어하는 사탄의 전략일 수도 있다.

하나님께서 좋은 한의사를 소개시켜주셨고 그 결과 허리 통증에 대한 부담이 줄어들었다. 이 일로 많은 분들의 중보기도를 받았다. 그런데 통증이 어느 정도 완화된 것은 신기하게도 집필 작업을 마치고 나서부터였다. 책을 쓰는 동안에는 온전히 영적 전쟁을 치르도록 하신 것이다.

하지만 하나님께서 허리 통증을 허락하신 또 다른 이유가 있었다. 내가 하나님이 아닌 책에 집중하는 것이 올바른 순서가 아님을 이 아픔을 통해 가르치고자 하셨다는 생각이 들었다. 탈고하고 난 후 나는 내가 그 점을 회개하면 허리 통증이 사라질 것이라고 확신했고 또 실제로 그렇게 되었다. 하나님은 하나님을 위한 일도 자신과의 친밀한 교제보다 우위에 설 수 없음을 분명히 가르쳐주셨다.

교제보다 우선하는 사역은 자칫 우상이 될 수 있다. 사역에만 집중하다보면 도리어 내 영이 메마르고 육체가 곤비해진다. 사역은 너무나 귀하고 중요하다. 하지만 그보다 더 중요한 것이 있다. 바로 하나님과의 교제이다.

하지만 통증은 끝나지 않았다. 한국에 나갔을 때 병원 진료를 받아보니 디스크가 파열되었다는 진단을 받았다. 그로 인해 많은 집회 일정이 취소되거나 연기되었으며 변경할 수 없는 집회의 경우 앉아서 말씀을 전하기도 했다.

어느 집회를 인도하기 전 잠시 기도하는데 갑자기 감사하는 마음이 내 마음에서 물결쳤다. 내가 무엇이길래 이토록 특별한 방법으로 나를 다루어주실까 생각하니 하나님께 너무나 감사했다. 아버지가 아들을 아프게 내버려두는 것은 단단히 마음먹지 않고서는 어려운 일이다. 그 일을 허락하시고 나와 교통하며 메시지를 주기 원하시는 주님의 마음이 느껴지자 눈물이 터져 나왔다.

나는 고백했다.

"주님, 제가 지금 왜 아픈지 그리고 제가 어떻게 하기를 주님이 원하시는지 묻지 않겠습니다. 그것은 나중에 천천히 하도록 하지요. 지금은 그저 주님께 감사의 고백을 드리는 것이 제 유일한 소망이니까요."

나의 고통은 많은 유익을 가져왔다. 이를 통해 주님을 더 누릴 수 있었다. 더욱이 나의 육체의 가시를 치유해주기 위해 만난 분들의 영적아픔까지 만질 수 있는 기회가 있었다. 이 책이 출간되기 전부터 하나님은 이 책이 태어나는 과정을 통해 일하시고 계셨다.

하나님의 가정, 나의 가족

나의 가족과 아내는 이 책의 숨은 저자이다. 특별히 아내에게 감사한다. 아내는 내 사역의 빈자리를 채워주다가 많은 정신적, 영적 아픔을 겪었고 그 극복 과정이 이 책을 쓰게 된 단초가 되었다. 아내가 겪은 아픔 때문에 나는 관계를 이해하는 폭이 더 넓어졌다. 아내의 아픔은 나의 아픔이었고 아내가 경험한 하나님은 나의 하나님이었다. 아내와의 결혼생활은 내가 하나님과의 관계를 이해하는 데 중요한 단서가 되었다.

늘 내 설교에 등장하는 부담을 안고 있는 가족들에게 미안한 마음이다. 특별히 동연이는 내가 새 책을 쓴다고 말했을 때 아빠가 책을 쓰는 동안에는 아빠한테 놀아달라고 하지 않고 방해하지 않겠다고 말해주었다. 돌아보면 동연이가 아빠의 사역을 위해 여러 번 내려놓아준 셈이다. 동연이가 아빠 엄마를 따라 몽골로 들어올 때 동연이는 자기가 아끼던 장난감을 주위 친구와 동생들에게 나누어주었다. 나는 동연이가 엄마 아빠를 따라 몽골에 온 것이 아니라 또 한 명의 선교사로 왔다는 것을 기억할 수 있기를 바란다. 서연이는 아픈 나의 등 위에 서슴없이 올라탈 수 있는 유일한 존재인 것 같다. 서연이는 나의 에너지원이다. 서연이와 함께하는 시간을 통해 나는 충전되고 회복한다.

얼마 전 미국 집회 중 집에 전화하자 아내가 말했다. 학교 선생님이 동연이에게 아빠와 떨어져 있어서 보고 싶겠다고 말했더니 동연이가 선생님에게 무뚝뚝하게 이렇게 말했다고 한다.

"상관없어요. 아빠 없어도 괜찮아요."

그 말을 듣고 나는 큰일 났구나 싶었다. 어느새 나쁜 아빠가 되어버리고 말았다. 집으로 돌아온 나는 며칠간 책 쓰기도 포기한 채 퇴근하면 곧장 아이들과 함께 시간을 보냈다. 가족은 사역을 위해서 양보하거나 희생할 대상이 아님을 다시 한 번 점검하고 확인하는 시간이었다. 때로는 하나님께서 가족에 대한 부담을 떨치고 사역에 몰두하도록 하실 때가 있다. 그러나 때로는 사역에서 물러나 가족만 돌보도록 하실 때도 있다. 이것을 분별하는 지혜는 나의 경험이 아닌 하나님의 인도하심이었음을 나는 새삼 확인했다.

주님으로부터 온 도움

몽골국제대학교의 권오문 총장님과 한국인 사역자 그리고 몽골 직원들에게 감사를 표한다. 경험 없는 내가 부총장으로 섬기는 일에는 그 분들의 섬김과 격려가 큰 도움이 되었다. 나의 집필 작업을 배려해준 점과 집회와 외부 사역을 위해 기도로 동역해준 것에 깊이 감사한다. 그 분들과의 교제와 섬김이 나의 사역에 밑받침이 되었음을 매번 절감한다. 그 분들을 섬기는 일이 나에게 큰 기쁨이었다.

멀리 늘 중보기도로 섬겨주시는 케임브리지연합장로교회와 김영호 목사님께 감사드린다. 그 분들과의 교제와 조용한 섬김이 우리 가정을 세워왔다. 그 점에 늘 감사한다.

규장 출판사의 직원 분들에게도 감사한다. 하나님께서 나와 규장 그리고 버드나무 식구들을 연결해주시면서 비슷한 시기에 비슷한 은혜를 우리 가운데 부으사 함께 성장시키시고 하나님과의 영적 연합을 이루어가게 하심에 깊이 감사한다.

무엇보다도 이 책의 주인이 하나님이심을 다시 한번 고백하지 않을 수 없다. 하나님께서는 이 글의 시작부터 끝까지 나와 함께해주셨다. 내가 경험한 사례마다 주님이 그 연출자이셨다. 이 책을 쓸 수 있도록 첫 마음을 열어주신 분 역시 우리 주님이시다.

어느 날부터인가 하나님께서 나의 사역을 위한 중보기도팀이 모이도록 기도하라는 마음을 주셨다. 그래서 나는 기도했을 뿐이다. 그 후로 나는 숨은 곳에서 나와 책을 위해 기도해주시는 분들이 많다는 사실을 알게 되었다. 이메일과 전화로 그 사실을 확인하며 그 분들의 기도가 나를 받치고 있었음을 몇 차례나 느낄 수 있었다.

책의 편집 과정을 놓고 기도하던 중 하나님께서 깨닫게 하신 것이 있었다. 성령님은 《내려놓음》을 통해 많은 독자들의 마음을 만지시며 회개와 결단의 눈물을 흘리게 하셨다. 그 눈물이 두 번째 책을 위한 씨앗이 되었고 그 눈물의 씨앗이 《더 내려놓음》이라는 열매가 되었듯이 또 성령님께서 이 책을 사용하셔서 또 다른 결단과 통회하는 심령의 열매를 맺어주시기를 소망한다.

더 내려놓음

초판 1쇄 발행 2007년 12월 3일
초판 3쇄 발행 2007년 12월 3일

지은이 이용규

펴낸이 여진구
편집국장 김응국
기획·홍보 이한민
책임편집 안수경
편집 오은미, 이소현, 손유진, 강민정
책임디자인 이혜영, 전보영 | 서은진, 정혜진
해외저작권 최영오
마케팅 김상순, 강성민, 이현정, 허병용, 박은숙
마케팅지원 최경식, 김선규, 손동성
제작 조영석, 정도봉
경영지원 김혜경, 김경희

해피니언 김아진, 최지설, 이수연

이슬비전도학교 엄취선, 전우순
이슬비암송학교 박정숙, 최영배, 이지혜
이슬비장학회장 여운학

펴낸곳 규장

주소 137-893 서울시 서초구 양재2동 205 규장선교센터
전화 578-0003 팩스 578-7332 이메일 kyujang@kyujang.com
등록일 1978.8.14. 제1-22

책값 뒤표지에 있습니다.
ISBN 978-89-6097-040-3 03230

규 | 장 | 수 | 칙

1. 기도로 기획하고 기도로 제작한다.
2. 오직 그리스도의 성품을 사모하는 독자가 원하고 필요로 하는 책만을 출판한다.
3. 한 활자 한 문장에 온 정성을 쏟는다.
4. 성실과 정확을 생명으로 삼고 일한다.
5. 긍정적이며 적극적인 신앙과 신행일치에의 안내자의 사명을 다한다.
6. 충고와 조언을 항상 감사로 경청한다.
7. 지상목표는 문서선교에 있다.

하나님을 사랑하는 자 곧 그 뜻대로 부르심을 입은 자들에게는 모든 것이 合力하여 善을 이루느니라(롬 8:28)

Member of the Evangelical Christian Publishers Association

규장은 문서를 통해 복음전파와 신앙교육에 주력하는 국제적 출판사들의 협의체인 복음주의출판협회(E.C.P.A:Evangelical Christian Publishers Association)의 출판정신에 동참하는 회원(Associate Member)입니다.

LIVINGSTON PUBLIC LIBRARY
3 1792 00438 4405